에듀윌과 함께 시작하면,
당신도 합격할 수 있습니다!

오랜 직장 생활을 마감하며 찾아온 앞날에 대한 막연한 두려움
에듀윌만 믿고 공부해 합격의 길에 올라선 50대 은퇴자

출산한지 얼마 안돼 독박 육아를 하며 시작한 도전!
새벽 2~3시까지 공부해 8개월 만에 동차 합격한 아기엄마

만년 가구기사 보조로 5년 넘게 일하다, 달리는 차 안에서도
포기하지 않고 공부해 이제는 새로운 일을 찾게 된 합격생

누구나 합격할 수 있습니다.
시작하겠다는 '다짐' 하나면 충분합니다.

마지막 페이지를 덮으면,

에듀윌과 함께
공인중개사 합격이 시작됩니다.

KB134500

13년간* 베스트셀러 1위
에듀윌 공인중개사 교재

기초부터 확실하게 기초/기본 이론

기초입문서(2종)

기본서(6종)

쉬운민법(1종)

합격을 위한 비법 대공개 합격서

이영방 합격서
부동산학개론

심정욱 합격서
민법 및 민사특별법

임선정 합격서
공인중개사법령 및 중개실무

김민석 합격서
부동산공시법

한영규 합격서
부동산세법

오시훈 합격서
부동산공법

출제경향 파악 기출문제집

단원별 기출문제집(3종)

출제 유형 완벽 대비 문제집

출제예상문제집+필수기출(6종)

<이론+기출문제>를 압축한 단기에 단권으로 단단 시리즈

| 부동산학개론 | 민법 및 민사특별법 | 공인중개사법령 및 중개실무 | 부동산공법 | 부동산공시법 | 부동산세법 |

핵심 개념을 빠르게 보강하는 핵심요약 교재

| 핵심요약집+기출팩(2종) | 2주끝장 부동산학개론(1종) | 민법 빈출판례집(1종) | 그림 암기법
(공인중개사법령 및 중개실무)(1종) |

| 부동산세법 비교정리체계도(1종) | 오시훈 키워드 암기장(부동산공법)(1종) | 신대운 쉬운 민법체계도(1종) |

합격을 결정하는 실전대비 파이널 교재

| 7일끝장 회차별 기출문제집(2종) | 기출족보 OX(6종) | 실전모의고사(2종) | 봉투모의고사(2종) |

더 많은
공인중개사 교재

회원 가입하고
100% 무료 혜택 받기

가입 즉시, 공인중개사 공부에 필요한 모든 걸 드립니다!

무료 혜택 1	무료 혜택 2	무료 혜택 3	무료 혜택 4	무료 혜택 5
2023 초시생 합격 전략서	공인중개사 초보 필독서	2023 대비 입문특강 0원	테마별 핵심특강	전과목 기초강의 +교안 무료

시험개요, 학습 포인트 등 핵심 압축 노하우 선착순 100% 무료	지금 나에게 꼭 필요한 필수교재 선착순 100% 무료	2023년 시험대비 전과목 입문특강 무료 수강(7일)	출제위원급 교수진의 합격에 꼭 필요한 필수 테마 무료 특강	전 교수진 자체제작 강의 교안+기초강의 무료 제공(7일)

* 조기 소진 시 다른 자료로 대체 제공될 수 있습니다.   * 서비스 개선을 위해 제공되는 자료의 세부 내용은 변경될 수 있습니다.

신규 회원 가입하면
특별 할인 쿠폰 바로 지급

* 해당 이벤트는 예고 없이 변경되거나 종료될 수 있습니다.

무료 회원 가입

더 많은 혜택이 궁금하다면 1600-6700
2023 대한민국 브랜드만족도 공인중개사 교육 1위 (한경비즈니스)

합격자 수 1위 에듀윌
5만* 건이 넘는 후기

부알못, 육아맘도 딱 1년 만에 합격했어요.

고O희 합격생

저는 부동산에 관심이 전혀 없는 '부알못'이었는데, 부동산에 관심이 많은 남편의 권유로 공부를 시작했습니다. 남편 지인들이 에듀윌을 통해 많이 합격했고, '합격자 수 1위'라는 광고가 좋아 에듀윌을 선택하게 되었습니다. 교수님들이 커리큘럼대로만 하면 된다고 해서 믿고 따라갔는데 정말 반복 학습이 되더라고요. 아이 둘을 키우다 보니 낮에는 시간을 낼 수 없어서 밤에만 공부하는 게 쉽지 않아 포기하고 싶을 때도 있었지만 '에듀윌 지식인'을 통해 합격하신 선배님들과 함께 공부하는 동기들의 위로가 큰 힘이 되었습니다.

군복무 중에 에듀윌 커리큘럼만 믿고 공부해 합격

이O용 합격생

에듀윌이 합격자가 많기도 하고, 교수님이 많아 제가 원하는 강의를 고를 수 있는 점이 좋았습니다. 또, 커리큘럼이 잘 짜여 있어서 잘 따라만 가면 공부를 잘 할 수 있을 것 같아 에듀윌을 선택했습니다. 에듀윌의 커리큘럼대로 꾸준히 따라갔던 게 저만의 합격 비결인 것 같습니다.

5개월 만에 동차 합격, 낸 돈 그대로 돌려받았죠!

안O원 합격생

저는 야쿠르트 프레시매니저를 하다 60세에 도전하여 합격했습니다. 심화 과정부터 시작하다 보니 기본이 부족했는데, 교수님들이 하라는 대로 기본 과정과 책을 더 보면서 정리하며 따라갔던 게 주효했던 것 같습니다. 합격 후 100만 원 가까이 되는 큰 돈을 환급받아 남편이 주택관리사 공부를 한다고 해서 뒷받침해 줄 생각입니다. 저는 소공(소속 공인중개사)으로 활동을 하고 싶은 포부가 있어 최대 규모의 에듀윌 동문회 활동도 기대가 됩니다.

다음 합격의 주인공은 당신입니다!

더 많은
합격 비법

* 에듀윌 홈페이지 게시 건수 기준 (2023년 1월 기준)
* 2023 대한민국 브랜드만족도 공인중개사 교육 1위 (한경비즈니스)

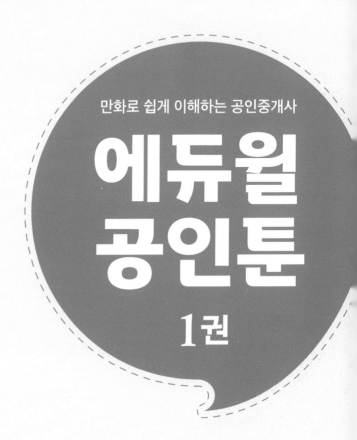

만화로 쉽게 이해하는 공인중개사

에듀윌 공인툰

1권

부동산학개론 | 민법 및 민사특별법

INTRO

새로운 도전을 하는 당신,

그 도전이 너무 힘들지 않도록

에듀윌이 공인중개사를 재미있게 풀어 보았습니다.

가장 필수적인 핵심 개념을 엄선하고,

그 개념을 가장 쉽게 보여 주는 형식을 골랐습니다.

당신이

페이지를 한 장씩 넘길 때마다,

스트레스 대신 '아하!', 혹은 '하하!' 할 수 있기를 바랍니다.

GOAL.

쉽고 재미있게

핵심 기초 개념을 이해하는 것

이 책은 윤득 씨의 이야기를 담고 있습니다.

윤득 씨는 에듀윌로 공부한 실제 합격생의 이야기를 각색한 가상인물로,
공인중개사 시험을 준비하며 강의를 듣기도 하고,
뉴스를 보고 투자를 하기도 합니다.

윤득 씨가 배우고 경험하는 것들이
만화와 일러스트로 재미있게 제시되지요.

만화책을 보듯 윤득 씨의 이야기를 읽다 보면
공인중개사 기초 개념이 저절로 이해되어 있을 것입니다.

"에듀윌이
당신의 첫걸음을
돕겠습니다."

① 각 테마를 재미있게 읽으며 핵심 개념을 이해합니다.

② 한번 더 CHECK를 통해 공부한 내용과 핵심 용어를 복습합니다.

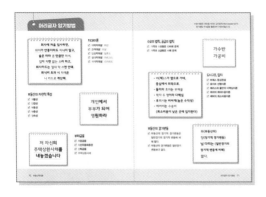

③ 머리글자 암기방법을 통해 빈출 개념을 기억합니다.

입문용

필수 핵심 개념을 사례와 만화로 풀이, 가장 쉽게 이해하세요.

흥미용

만화와 일러스트로 구성, 만화책을 읽듯 재미있게 학습하세요.

휴대용

가볍게 들고 다닐 수 있으니, 자투리 시간을 이용해 학습하세요.

암기용

빈칸 채우기 퀴즈와 머리글자 암기방법을 제시, 핵심 용어를 빠르게 암기하세요.

CONTENTS

SUBJECT 01   부동산학개론

SUBJECT 02 민법 및 민사특별법

에듀윌 합격 스토리

회사를 나가게 된 윤득 씨. 힘이 없어 보인다.

걱정하며 한숨을 쉬는 윤득 씨.

요새 취직도 어려운데, 앞날을 어떻게 준비하지?

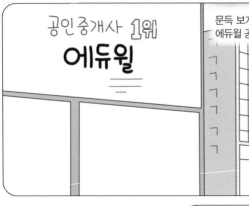

공인중개사 1위 에듀윌

문득 보게 된 에듀윌 공인중개사 설명회 광고.

아!!

공인중개사 설명회를 듣게 된 윤득 씨.

에듀윌 공인중개사 설명회

7년간 아무도 깨지 못한 합격자 수 최고 기록을 가진 에듀윌 공인중개사는…

* 2023 대한민국 브랜드만족도 공인중개사 교육 1위 (한경비즈니스)
* KRI 한국기록원 2016, 2017, 2019년 공인중개사 최다 합격자 배출 공식 인증 (2023년 현재까지 업계 최고 기록)

이 이야기는 실제 에듀윌 합격생 이*도 님의 사연을 각색하였습니다.

공인중개사의 일자리 전망은 매우 좋습니다. 중개업뿐 아니라 취업의 문도 넓어요.

부동산 관련 기업에 취업할 수도 있고, 토지, 건물 등의 관리대행과 상가 분양을 대행하기도 합니다.

또한 공인중개사는 정부 재투자 기관이나 일반 기업의 부동산 관련 부서에 취업할 수도 있어요.

그렇다면 공인중개사가 되기 위해 어떻게 해야 할까요?

2차례의 시험에 합격해야 합니다.

맞아요. 1차, 2차의 시험에 합격하면 됩니다. 절대평가로 60점 이상을 맞아야 해요.

특히 시험 응시에는 별도의 자격이 필요 없습니다. 학력, 나이 제한이 없어 노후를 실질적으로 대비할 수 있죠.

에듀윌 교수들과 직원들의 시험장 응원을 받으며
시험장에 들어가는 윤득 씨.

최선을 다해 시험에 임하는 윤득 씨.

모의채점 후 기뻐하는 윤득 씨.

와, 합격이겠군!!

장하다!
그동안 너무 고생했다.

이제 꽃길만 걷자!!

에듀윌 합격자 모임에 참가한 윤득 씨.

와아~   와아~

기적에서 전설로   기적에서 전설로

에듀윌 공인툰

SUBJECT
01

부동산학개론

부동산학개론은 전문직업인으로서 공인중개사가 갖추어야 할 부동산과 관련된 전반적인 측면을 공부하는 과목입니다.

범위는 넓지만, 개념을 한 번 이해하고 나면 전체적인 공부가 쉬워집니다.

01 부동산학과 부동산

오늘은 제2의 직업으로 공인중개사를 택한 윤득 씨가 학원에서 첫 수업을 듣는 날이다. 교수는 '부동산학이란 무엇인가'라는 주제로 강의를 시작했다. "부동산학이란 인간과 부동산 사이에서 발생하는 문제를 해결하여, 부동산과 인간의 관계를 개선하고자 하는 학문입니다. 이때 부동산 문제는 법률적 측면, 경제적 측면, 기술적 측면의 3대 측면에서 발생합니다. 여기서 법률적·경제적 측면은 무형적 측면, 기술적 측면은 유형적 측면이라 합니다. 부동산학은 이 3대 측면을 유기적으로 연결하여 부동산 문제 해결에 유용하고 종합적으로 응용하는데, 이를 복합개념의 논리라고 합니다."

복합개념의 논리

법률적 측면

부동산을 살 때 등기부를 확인하지 않으면 권리상 하자문제가 발생하여 소유권을 잃어버릴 수 있어.

경제적 측면

부동산 가격이 떨어져서 하우스 푸어가 되었지 뭐야.

기술적 측면

집이 무너지면 큰일이니 부실공사한 집은 아닌지 꼼꼼하게 살펴보아야 해.

교수는 설명을 이어갔다. "부동산학에서는 이와 같은 복합개념의 논리에 따라 부동산을 살펴봅니다. 부동산 문제는 법률적·경제적·기술적 측면에서 복합적으로 발생하기 때문이죠."

복합개념의 부동산

법률적 측면

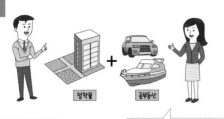

정착물 + 준부동산

민법에서는 좁은 의미의 부동산이 토지와 정착물이라고 정의하고 있지.

넓은 의미의 부동산은 개별법상의 준부동산까지 포함이야.

경제적 측면

이 건물은 든든한 내 **자산**이고, 토지는 사업 밑천을 위한 **자본**이야.

생산물을 생산하려면 토지와 노동은 필수 **생산요소**지.

이 집은 생활의 편리성에 대한 욕구를 충족시켜 줄 수 있는 **소비재**입니다.

상품에 대한 관심이 커지네요.

기술적 측면

나는 공기 좋은 **자연**에서 살고 싶어. 부동산 **위치**는 배산임수의 남향이면 좋겠군.

여기 **환경**이 생활인프라가 잘 형성되어 있어서 좋군. 이 **공간**에 지상 7층, 지하 3층 빌딩을 지으면 괜찮겠어.

복합개념 (부동산학적 개념)	법률적 개념 (무형적 측면)	경제적 개념 (무형적 측면)	기술적(물리적) 개념 (유형적 측면)
① 법률적 측면 ② 경제적 측면 ③ 기술적 측면	① 협의의 부동산 (토지 + 정착물) ② 광의의 부동산 (토지 + 정착물 + 준부동산)	① 자산 ② 자본 ③ 생산요소 ④ 소비재 ⑤ 상품	① 자연 ② 공간 ③ 위치 ④ 환경

토지의 용어

법률적 측면

이 땅이 내 땅이라는 것을 다른 사람이 알 수 있도록, 이 토지에 지번을 붙여 등기해야지.

필지

경사면의 토지 등은 법률상으로는 개인의 소유권이 인정되지만, 실익은 없어.

법지

경제적 측면

이 획지 안의 토지들은 가격 수준이 유사해.

획지

바닷가의 토지처럼 개인의 소유권은 인정되지 않지만, 경제적 실익이 있는 토지야.

빈지

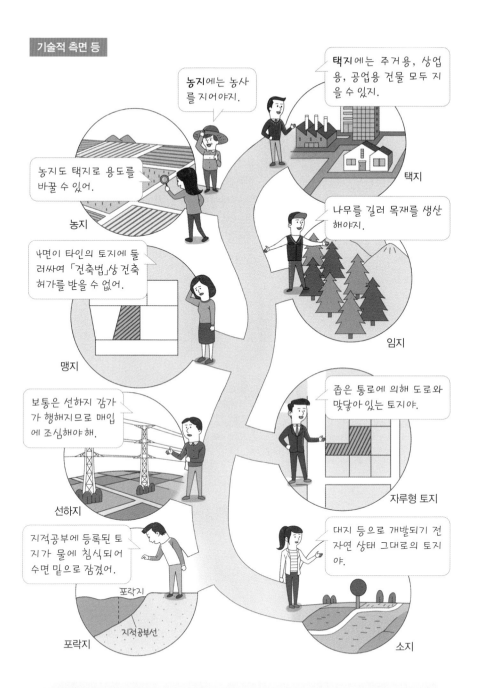

▼ ONE POINT

임지지역, 농지지역, 택지지역 상호 간에 토지 이용이 전환 중인 토지는 후보지라 하고, 임지지역, 농지지역, 택지지역 내에서 토지 이용이 전환(이행) 중인 토지는 이행지라고 한다.

02 부동산(토지)의 특성

"부동산과 동산의 다른 점은 무엇일까요?" 교수의 질문에 학생들은 고개를 갸웃했다. "토지(부동산)와 콜라(동산)를 비교해 볼게요. ① 콜라는 옮길 수 있지만, 토지는 이동이 불가합니다(부동성). ② 콜라는 생산할 수 있지만, 토지는 양을 늘릴 수 없죠(부증성). ③ 콜라는 마시면 없어지지만, 토지는 사라지지 않습니다(영속성). ④ 콜라는 똑같은 제품이 있지만, 물리적으로 완전히 같은 토지는 존재하지 않죠(개별성). 이처럼, 부동산이 본원적으로 지니는 물리적 특성을 자연적 특성이라고 합니다."

토지의 자연적 특성

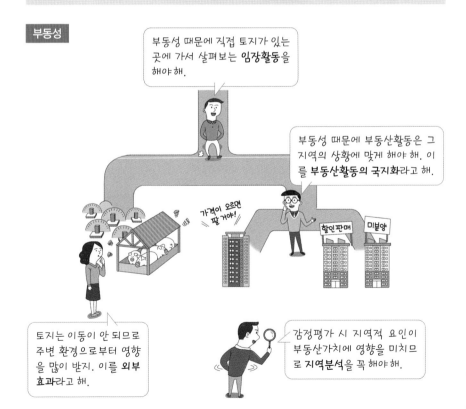

부증성

토지의 양은 늘릴 수 없으므로 최대한 부가가치를 낼 수 있도록 **집약적 이용**을 해야 해.

최대한 수익을 낼 수 있도록 효율적으로 이용해야 해. 부증성은 이러한 **최유효이용의 근거**가 되지.

난 남들보다 희소한 토지를 가지고 싶은 **독점소유욕**이 일어나.

영속성

토지는 새 토지, 헌 토지 개념이 없어. 그래서 **물리적 감가가 발생하지 않아**.

콜라는 마셔 버리면 없어지지만, 토지는 없어지는 게 아니므로 현재 상태만 고려하면 안 되고 **장기적 배려**가 필요해.

부동산은 콜라와 달리 소유의 이익과 이용의 이익이 구별되어 **임대차시장이 발달**할 수 있지.

개별성

정방형의 토지와 부정형의 토지는 개별적 요인이 다르므로 **개별 분석**이 꼭 필요해.

토지는 **일물일가**가 배제돼.

"이렇게 이동과 생산이 안 되는 부동산의 자연적 특성은 인간이 토지를 이용할 때 제약이 됩니다. 이러한 제약을 완화시키려는 인간의 노력이 인문적 특성으로 나타납니다. 즉, 토지의 사회적·경제적·행정적 위치를 변화시키고, 토지의 용도를 다양화하며, 토지를 병합·분할하기도 하죠. 이를 부동산의 인문적 특성이라 합니다."

토지의 인문적 특성

위치의 가변성

가격 상승

토지의 절대적 위치는 바꿀 수 없지만 사회적·경제적·행정적 위치는 변화시켜 이용할 수 있어.

용도의 다양성

주거용   산업용

토지는 생산을 하여 양을 늘릴 수는 없지만 용도를 전환하여 이용할 수 있어.

병합 · 분할의 가능성

토지는 법률이 허용하는 한도 내에서 효과적으로 병합·분할하여 이용할 수 있어.

병합   분할

03 부동산의 수요와 공급

이번 강의 주제는 '수요법칙과 공급법칙'이다. "다른 조건이 일정하다면, 가격이 상승할 때 수요량은 감소하고, 가격이 하락할 때 수요량은 증가합니다. 가격과 수요량 사이에는 반비례 관계가 성립하며 이를 **수요법칙**이라 합니다." 교수는 말을 이었다. "반대의 경우는 어떨까요? 다른 조건이 일정하다면, 가격이 상승할 때 공급량 또한 증가하고, 가격이 하락하면 공급량도 감소합니다. 가격과 공급량 사이에는 비례 관계가 성립하는데, 이를 **공급법칙**이라 합니다."

수요법칙과 공급법칙

수요법칙

가격과 수요량은
반비례 관계

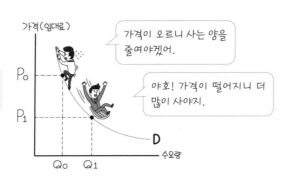

공급법칙

가격과 공급량은
비례 관계

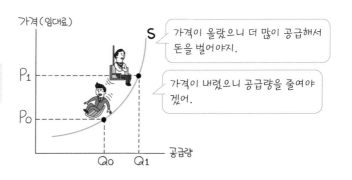

앞자리 학생이 질문했다. "수요량의 변화와 수요의 변화는 어떻게 다른가요?" 교수가 답했다. "수요량의 변화는 다른 요인은 그대로지만, 상품의 가격이 변화했기에 수요량이 변화한 것을 의미합니다. 반면, 수요의 변화는 상품의 가격은 일정하지만, 다른 요인이 변화하여 수요량이 변화한 것을 뜻합니다. 수요량의 변화는 동일 곡선상에서의 점의 이동으로 나타나고, 수요의 변화는 수요 곡선 자체가 좌측이나 우측으로 이동하며 나타납니다."

수요량의 변화와 수요의 변화

수요량의 변화

수요의 변화

강의는 계속됐다. "하지만 가격이 늘 바뀌는 건 아닙니다. 일정한 가격에서, 사고자 하는 양과 팔고자 하는 양이 일치하면 시장균형 상태가 형성되죠. 이때, 시장균형 상태에서의 가격을 균형가격이라 하며, 시장균형가격하에서의 수요량과 공급량을 균형거래량 또는 균형수급량, 균형교환량, 균형량이라고 합니다."

교수는 설명을 이어갔다. "이러한 시장균형도 물론 변동이 일어납니다. 전염병이 유행하자 마스크에 대한 수요가 증가했고, 균형가격과 균형거래량이 증가했죠? 이처럼 수요와 공급 중 어느 하나, 혹은 두 가지 모두가 동시에 변동할 경우 균형가격과 균형거래량도 바뀌게 됩니다."

시장균형과 균형의 변동

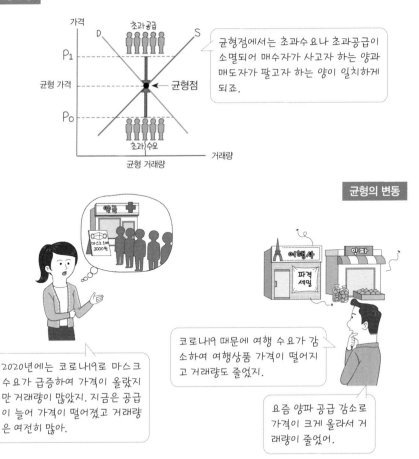

시장균형

균형점에서는 초과수요나 초과공급이 소멸되어 매수자가 사고자 하는 양과 매도자가 팔고자 하는 양이 일치하게 되죠.

균형의 변동

2020년에는 코로나9로 마스크 수요가 급증하여 가격이 올랐지만 거래량이 많았지. 지금은 공급이 늘어 가격이 떨어졌고 거래량은 여전히 많아.

코로나9 때문에 여행 수요가 감소하여 여행상품 가격이 떨어지고 거래량도 줄었지.

요즘 양파 공급 감소로 가격이 크게 올라서 거래량이 줄었어.

04 수요의 탄력성

윤득 씨는 사과의 가격이 오르면 그 수요량을 크게 줄였지만, 책의 가격이 오르면 그 수요량을 줄이지 않았다. '이런 행동은 어떻게 이해할 수 있을까?' 그때, 교수가 '수요의 가격탄력성'에 대해 설명했다. "수요의 가격탄력성이란 가격 변화율에 대한 수요량 변화율의 비를 뜻합니다. 이를 통해 가격 변동에 대해 수요자들이 보이는 반응의 정도를 알 수 있지요. 가격탄력성이 높을수록 수요자들은 가격에 민감하게 반응하여 수요량의 변동폭이 커지고, 가격탄력성이 낮을수록 수요자들이 가격에 둔감하게 반응하여 수요량의 변동폭이 작아집니다."

수요의 가격탄력성

수요가 가격에 탄력적이라는 것은 수요자들이 가격에 민감하게 반응한다는 거야. 예를 들어 학원에서 수강료를 할인하면 수강생이 크게 늘어나는 거지.

수강료 10% 할인

아하! 가격을 변화시켰을 때 수요량이 왕창 변하면 탄력적이라고 하고, 수요량의 변화가 적으면 비탄력적이라고 하는구나.

$$수요의\ 가격탄력성 = \left| \frac{수요량의\ 변화율(\%)}{가격의\ 변화율(\%)} \right|$$

구분	탄력성 크기	가격변화율과 수요량변화율 크기	수요곡선의 형태
완전비탄력적	탄력성=0	수요량변화율=0	수직선(가격 변해도 수요량 일정)
비탄력적	0<탄력성<1	수요량변화율<가격변화율	급경사(기울기가 큼)
단위탄력적	탄력성=1	수요량변화율=가격변화율	직각쌍곡선
탄력적	탄력성>1	수요량변화율>가격변화율	완경사(기울기가 작음)
완전탄력적	탄력성=∞	가격변화율=0	수평

"가격탄력성을 잘 활용하면 총수입을 높일 수 있겠군요?" 윤득 씨의 질문에 교수는 고개를 끄덕였다. "수요의 가격탄력성이 낮다면, 가격이 올라도 수요량이 크게 변하지 않습니다. 따라서 이때는 가격을 인상하여 총수입을 높일 수 있지요. 반대로 수요의 가격탄력성이 높다면, 가격을 조금만 낮춰도 수요량이 크게 증가합니다. 이때는 가격을 낮추어 총수입을 높일 수 있습니다."

"수요의 소득탄력성은 소득의 변화율에 대한 수요량의 변화율을 말합니다. 소득탄력성에 따라, 재화는 정상재(우등재), 열등재(하급재), 중간재로 나뉩니다." 교수는 예를 들어주었다. "**정상재**는 아파트처럼 소득이 증가할 때 수요가 함께 증가하는 재화이고, **열등재**는 고무신처럼 소득이 증가하면 수요가 감소하는 재화입니다. 그리고 **중간재**는 소금처럼 소득이 증가해도 수요에는 변화가 없는 재화입니다. 월급이 올랐다고 해서 소금을 더 많이 사 먹는 집은 없겠죠?" 교수의 의미 있는 농담에 화기애애한 분위기로 수업이 마무리되었다.

수요의 소득탄력성과 재화

$$수요의\ 소득탄력성(\varepsilon_{d,I}) = \frac{수요량의\ 변화율}{소득의\ 변화율}$$

구분	소득 증가 시 수요의 변화	소득 증가 시 수요곡선의 이동	수요의 소득탄력성($\varepsilon_{d,I}$)
정상재	소득 증가 → 수요 증가	우측 이동	$\varepsilon_{d,I} > 0$
열등재	소득 증가 → 수요 감소	좌측 이동	$\varepsilon_{d,I} < 0$
중간재	소득 증가 → 수요 불변	불변	$\varepsilon_{d,I} = 0$

05 부동산경기변동

주말 저녁, 윤득 씨는 딸과 뉴스를 보고 있다. 뉴스의 단골 주제는 부동산경기변동이다. "아빠, 부동산경기변동은 정확히 무엇을 말하나요?" 딸의 질문에, 윤득 씨는 공부한 내용을 떠올리며 답했다. "부동산경기변동도 일반 경기변동과 마찬가지로 호황, 불황 등의 변동을 겪는데, 이를 부동산경기변동이라고 해. 일반적인 부동산경기변동은 상향, 후퇴, 하향, 회복의 네 가지 국면에 따라 변화하는 순환적 변동을 뜻하지."

부동산경기의 순환적 변동

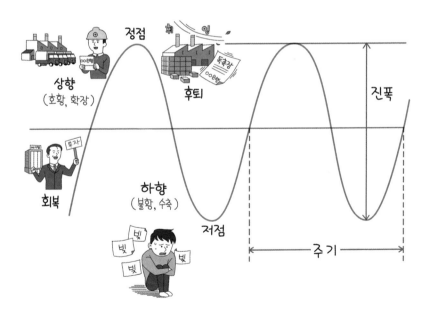

"다른 형태의 경기변동도 있나요?" 딸의 질문이 이어졌다. "통상 50년 또는 그 이상의 기간으로 측정되는 장기적 변동(추세적 변동)이 있단다. 1년을 단위로 계절적 특성에 따라 정기적으로 나타나는 계절적 변동도 있어. 그리고 정부 정책 변화나 홍수, 지진, 혁명, 전쟁 등 예기치 못한 사태로 인해 초래되는 무작위적 변동(불규칙 변동)이 있단다." 윤득 씨가 답했다.

다른 형태의 경기변동

장기적 변동

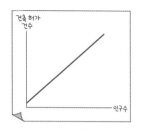

인구가 증가하니 건축허가 건수도 장기적으로 증가하는 추세로군.

방학이 되니 공실이 많아져서 걱정이야.

계절적 변동

무작위적 변동

정부의 부동산 대책 발표 이후 부동산 거래가 크게 줄었어요.

"부동산경기는 어떻게 측정하나요?" 계속된 딸의 질문에 윤득 씨는 공부한 내용을 떠올렸다. "부동산경기를 측정할 때에는 단순 지표에 의존하지 않고 여러 지표를 종합적으로 분석해야 한단다. 이를 위해, **수요지표**로는 부동산의 거래량, **공급지표**로는 건축량, **보조지표**로는 가격 변동을 활용하지." 윤득 씨는 설명을 이어 갔다. "부동산경기는 순환국면에 따라 회복시장, 상향시장, 후퇴시장, 하향시장으로 분류할 수 있단다. 그리고 부동산시장에서만 고려되는 안정시장도 있단다. 안정시장은 경기순환에 의해 분류된 것은 아니지만 경기와 전혀 무관하진 않기에 고려의 대상이 되지." 윤득 씨의 설명에 딸은 감탄했다. "아빠, 정말 대단하세요!"

부동산경기 국면별 특징

회복시장	상향시장	후퇴시장	하향시장
• 매도자 주도시장	• 매도자 주도시장	• 매수자 주도시장	• 매수자 주도시장
• 건축허가 신청건수 증가	• 건축허가 신청건수 최대	• 건축허가 신청건수 감소	• 건축허가 신청건수 최저
• 공실률 감소	• 공실률 최저	• 공실률 증가	• 공실률 최대

안정시장

이 상가는 위치가 좋아 불황인데도 실수요자가 꾸준히 있어서 가격 변동이 별로 없고 안정적이야.

06 부동산시장론

오늘은 '부동산시장론'에 대해 공부한다. 교수가 설명을 시작했다. "부동산시장은 수요와 공급이 지속적으로 나타나 부동산의 가격이 형성되고 거래량이 정해지는 곳입니다. 부동산시장은 주택시장과 토지시장으로 나뉩니다. 또한 투자자들은 부동산시장에서 가치에 반영되지 않은 우수한 정보를 파악하여 초과이윤을 얻고자 하는데, 이와 관련하여 효율적 시장에 대해 학습해 봅시다."

부동산시장

주택시장

토지시장

고가주택이 될 수 있고

저가주택이 될 수 있음

효율적 시장

개발정보가 가치에 반영

평당 /0만 원

평당 /00만 원

이 토지가 10만 원에 거래되고 있을 때 이 지역의 개발 정보를 얻었다면, 그 정보는 아주 우수하죠. 즉, 우수한 정보란 가치에 반영되지 않은 정보라고 할 수 있죠!

강의는 계속됐다. "주택시장에서는 주택여과과정이 일어납니다. 고소득층의 주택이 시간이 흘러 낡으면 저소득층의 주택으로 바뀌는 경우가 있는데 이를 하향여과라 하고, 저소득층의 주택이 재건축 등을 통해 고소득층의 주택으로 바뀌는 것을 상향여과라 합니다. 일반적으로 주택의 여과는 하향여과를 의미합니다."

주택여과과정

하향여과

상향여과

"효율적 시장은 부동산에 관한 새로운 정보가 지체 없이 부동산가치에 반영되는 시장을 의미합니다. 효율적 시장은 '가치에 반영되는 정보의 범위'에 따라 약성·준강성·강성 효율적 시장으로 분류하며, 이때 반영되는 정보는 과거·현재·미래의 정보로 나뉩니다." 교수는 덧붙여 "시장의 유형에 따라 우수정보와 초과이윤의 획득 여부가 달라진다는 점도 기억하세요."라고 말했다.

효율적 시장의 유형

약성 효율적 시장

과거의 정보는 이미 가치에 반영되어서, 이 정보로는 초과이윤을 얻을 수 없어. 초과이윤을 얻으려면 가치에 반영되지 않은 우수한 정보인 현재 정보와 미래 정보가 필요해!

준강성 효율적 시장

아직까지 공표되지 않은 정보인 미래 정보가 있어야 초과이윤을 실현할 수 있는데······.

강성 효율적 시장

모든 정보가 시장가치에 반영되어 있어서 초과이윤 획득은 불가능해.

구분		약성	준강성	강성
반영되는 정보		과거의 정보	과거+현재(공표) 정보	과거+현재+미래(내부) 정보
정상이윤		○	○	○
초과이윤 획득 여부	과거 정보 분석	X	X	X
	현재 정보 분석	○	X	X
	미래 정보 분석	○	○	X

교수의 설명이 이어졌다. "토지시장에서 **지대**(地代)란 토지사용에 대한 대가로 토지이용자가 토지소유자에게 지불하는 사용료를 뜻합니다. 지대에 대한 논의는 농경지를 빌려 사용한 대가인 **농경지 지대론**(차액지대설, 절대지대설, 위치지대설)과 도시 토지 사용대가인 **도시 지대론**(입찰지대설)으로 나누어 파악할 수 있습니다."

지대이론의 흐름

차액지대설

리카도

비옥한 토지는 생산성이 높아서 지대가 높고, 생산성이 낮은 토지에서는 지대가 발생하지 않아.

절대지대설

마르크스

자본주의 사회에서는 토지의 사유화로 인해 생산력과 상관없이 지대를 지불해야 해.

위치지대설

튀넨

입찰지대설

알론소

도심지역에 가까운 토지들은 용도에 따라 경쟁이 치열해질 수 있으므로 지대 입찰 과정이 발생하지.

시장과 가까워서 수송비가 절약되는 토지는, 시장과 원거리에 있는 토지보다 상대적으로 지대가 높을 수밖에 없지.

▼ ONE POINT

도심지역의 토지는 입찰을 붙였을 때 가장 높은 지대를 내겠다는 토지이용자에게 할당된다. 도심에서 외곽으로 나감에 따라 상업용, 주거용, 공업용 등으로 토지이용이 변하는 것도 이러한 논리로 설명된다.

07 입지 및 공간구조론

우리는 매일 도심을 오간다. 그렇다면 도시의 내부구조는 어떻게 파악할 수 있을까? 교수는 '도시공간구조론'에 대해 설명해 주었다. "도시공간구조론의 대표적 학자로는 버제스, 호이트, 해리스와 울만이 있습니다. 버제스는 '동심원이론'을 주장하였고, 호이트는 동심원이론을 보완한 '선형이론'을 내놓았습니다. 해리스와 울만은 현대의 대도시를 설명하기 위한 '다핵심이론'을 발전시켰습니다."

도시공간구조론

동심원이론

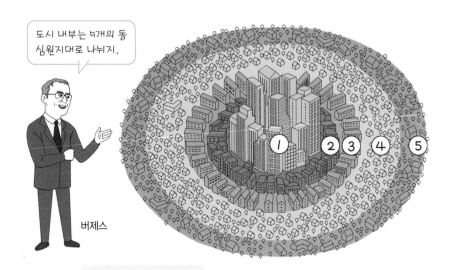

도시 내부는 5개의 동심원지대로 나뉘지.

버제스

① 중심업무지구(CBD)
② 천이지대(전이지대)
③ 근로자 주택지대
④ 중산층 주택지대
⑤ 통근자 지대

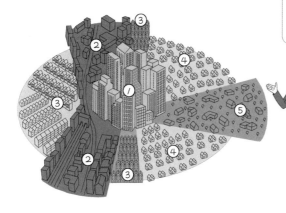

> 버제스 씨는 도로나 교통망을 전혀 고려하지 않고 도시 내부를 살펴보았네요. 도심에서 외곽으로 나가는 도로가 만들어지면 도시 내부는 도로를 중심으로 부채꼴 모양으로 변형이 일어나죠.

호이트

① 중심업무지구(CBD)
② 도매 및 경공업지구
③ 저급주거지구
④ 중급주거지구
⑤ 고급주거지구

다핵심이론

해리스   울만

> 현대의 대도시의 경우에는 도시의 기능이 분화됨으로써 토지이용과 내부구조가 다핵적인 면을 보이고 있어요.

① 중심업무지구(CBD)　　⑥ 중공업지구
② 경공업·도매지구　　　⑦ 외부업무지구
③ 저소득 주거지구　　　⑧ 교외주거지구
④ 중산층 주거지구　　　⑨ 교외공업지구
⑤ 고소득 주거지구

"입지에 대해 설명한 이론도 있나요?" 앞자리 학생의 질문에 교수가 답했다. "네, 대표적으로 **공업입지론**이 있습니다. '어디에 공장을 세워야 최대의 이윤을 얻을 수 있는지'를 분석하여 공장의 위치를 결정하고자 하는 이론이지요. 여기에는 공급 측면에서 비용인자를 중시한 '최소비용이론'과 수요 측면에서 수요인자를 중시한 '최대수요이론'이 있습니다."

교수는 답변을 이어갔다. "또 **상업입지론**도 있습니다. '상점은 상권이 잘 형성되어 있는 곳에 위치해야 한다'는 것이 주된 내용이죠. 이때 상권은 고객이 존재하는 지역을 의미하며 상업입지론의 핵심입니다. 구체적으로, 상권이 성립하는 조건을 설명한 '중심지이론'과 상권의 유인력에 관해 설명한 '소매인력법칙'이 있습니다."

입지이론

공업입지론

최소비용이론 | 최대수요이론

수송비 노동비

아껴야 잘살지. 생산비가 가장 적게 드는 장소가 공장입지로 최적이야.

많이 벌어야 잘살지. 수요가 가장 많은 곳에 공장을 지어야 해.

▼ ONE POINT

베버의 '최소비용이론'이 지나치게 생산비 측면에만 치우쳐 있다고 본 뢰쉬는 수요 측면의 입장에서 공장(기업)은 시장확대 가능성이 가장 높은 지역에 위치해야 한다며 '최대수요이론'을 주장했다.

중심지이론

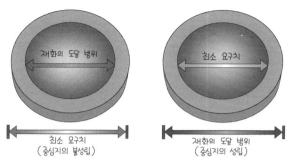

- 중심지: 각종 재화와 서비스 공급기능이 집중되어 주변지역에 재화와 서비스를 생산 · 공급하는 곳
- 최소 요구치: 중심지 기능을 유지시키기 위하여 필요로 하는 최소한의 수요수준
- 재화의 도달범위: 중심지가 재화나 서비스를 제공하는 공간범위
- 중심지(상권) 성립 조건: 최소 요구치(기업의 존립을 위한 최소한의 수요수준) < 재화의 도달범위(특정재화를 얻기 위해 통행하는 최대 거리)

돈 잘 벌고 있어요!

중국집을 중심지라고 한다면, 가게가 유지되기 위한 최소한의 손님을 **최소 요구치**라고 볼 수 있어요. 만약 이 중국집의 자장면이 맛있어서 최소 요구치 밖의 사람들도 자장면을 주문한다면, 자장면이 배달되는 최대한의 거리가 **재화의 도달범위**가 되죠.

소매인력법칙

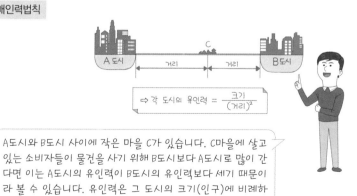

$$⇨ \ 각 \ 도시의 \ 유인력 = \frac{크기}{(거리)^2}$$

A도시와 B도시 사이에 작은 마을 C가 있습니다. C마을에 살고 있는 소비자들이 물건을 사기 위해 B도시보다 A도시로 많이 간다면 이는 A도시의 유인력이 B도시의 유인력보다 세기 때문이라 볼 수 있습니다. 유인력은 그 도시의 크기(인구)에 비례하며, 거리의 제곱에는 반비례합니다.

08 부동산정책론

공인중개사 공부를 시작한 이후, 윤득 씨는 부동산정책 뉴스에 더욱 귀를 기울이게 되었다. 오늘 뉴스의 화두는 토지 정책이었다. **토지이용규제**는 대표적인 토지 정책으로, 토지이용자의 토지이용행위를 법률적·행정적 조치에 의하여 구속하고 제한한다.

정부 및 공공기관이 토지수용, 토지은행제도, 공영개발 등을 통해 토지시장에 직접 개입하여, 토지에 대한 수요 및 공급자의 역할을 적극적으로 수행하는 것을 **직접적 개입**이라고 한다. 이와 달리 **간접적 개입**이란 시장 기구의 틀을 유지하면서, 시장 기구의 기능을 통하여 소기의 효과를 거두려는 방법이다. 이때 정부 및 공공기관은 토지시장에 결부된 경제적 동기를 조정하거나, 세금의 감면 및 부과, 금융지원, 보조금 지급, 부담금 부과 등의 정책을 활용한다.

부동산정책과 토지시장 개입

토지이용규제

토지이용규제의 방법 중 지역지구제는 이용목적 및 입지특성에 따라 토지에 적합한 용도를 부여함으로써 토지이용의 효율성을 증대시키는 데 목적이 있어.

직접적 개입

토지의 미래 용도를 예상하여 정부가 미리 싼 값에 미개발토지를 대량으로 매입하여 비축하였다가 토지수요의 증가에 대응하여 이를 활용하는 것을 토지은행제도라고 해.

간접적 개입

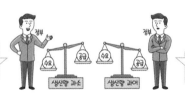

세금 감면 혜택과 보조금을 줄게.

부담금이나 조세를 중과하겠소!

다음으로, 주택정책에 대한 보도가 이어졌다. 경제적 약자인 임차인을 보호하기 위한 **임대주택정책** 관련 소식이다. 임대주택정책에는 시장의 균형 임대료보다 낮은 임대료를 설정하는 '임대료 규제정책', 일정 수준 이하의 임차인을 지원하는 '임대료 보조정책', 시장임대료보다 낮은 가격으로 공공임대주택을 공급하는 '공공임대주택정책' 등이 있다.

임대주택정책의 효과

구분	임대료 규제정책	임대료 보조정책	공공임대주택정책
단기	임대료⇩ → 임차인 혜택○	수요⇧ → 임대료⇧ → 임대인 혜택○	임대료⇩ → 임차인 혜택○
장기	공급⇩ → 임차인 혜택×	공급⇧ → 임차인 혜택○	임대료⇩ → 임차인 혜택○

다음 소식은 **분양가 상한제** 관련 내용이다. 분양가 상한제는 분양주택정책 중 하나인 분양가 규제정책으로, 주택 가격을 안정시켜 무주택자들이 내 집 마련을 할 수 있도록 돕는 제도이다. 신규주택의 분양가격을 시장가격보다 낮은 수준에서 규제하는 최고가격제의 일종으로, 「주택법」상 적용주택의 분양가는 택지비와 건축비로 구성된다.

분양주택정책

분양가 상한제의 효과

주택 선분양제도   주택 후분양제도

끝으로, **조세정책** 관련 보도가 이어졌다. '조세의 전가'란 처음 조세를 부과할 때, 각 경제주체가 조세의 실질적인 부담의 일부, 또는 전부를 다른 경제주체에게 이전하는 것을 말한다. 그리고 '조세의 귀착'이란 이렇게 전가된 조세를 실질적으로 누가 부담하는지의 문제를 뜻한다. 일반적으로 세금은 수요자와 공급자 어느 한쪽에게만 부담되지 않으며, 쌍방 모두에게 귀착된다.

조세의 귀착

수요자와 공급자 중에서 탄력적인 쪽, 즉 선택(대안)의 여지가 많아 민감하게 반응하는 쪽에서는 조세를 적게 부담하고, 비탄력적인 쪽, 즉 선택의 여지가 적어 둔감하게 반응하는 쪽에서는 조세를 더 많이 부담하게 됩니다.

세금 때문에 수강료를 올려야겠어요.

다른 학원으로 옮겨야겠어.

웅성 웅성

앗, 수강생들이 민감하게 반응하는군!

세금은 학원에서 많이 부담하고 여러분께는 조금만 전가시킬 테니 진정하세요!

수강료를 올린다고 공지하니 많은 수강생들이 **탄력적**으로 반응하며 학원을 옮기겠다고 합니다. 이렇게 되면 수요량 감소폭이 커지므로 학원은 수강료를 많이 올리기 어려워지죠. 이 경우 세금은 학원에서 많이 부담하고 수강생에게 전가시키는 부분은 작아집니다.

반대로 수강료를 올린다고 해도 수강생들이 둔감하게, 즉 **비탄력적**으로 반응하여 대부분 학원을 옮기지 않으면 어떨까요? 이때에는 수요량 감소폭이 적으므로 학원 측은 수강료를 많이 올려 수강생에게 세금을 많이 전가시킬 것입니다. 이 경우 학원 측의 부담은 줄고 수강생의 부담은 늘게 되죠.

09 부동산투자이론

돌아온 주말, 윤득 씨는 오랜만에 친구 칠성 씨를 만났다. "돈 있는 사람이나 부동산투자도 하지, 난 돈이 없어." 칠성 씨의 한탄에 윤득 씨가 답했다. "꼭 그렇지 않아. 부동산은 부동성과 내구성을 가지기 때문에, 담보가치로 안정성을 인정받아 은행에서 대출을 받을 수 있어. 자기자본이 적어도, 타인자본을 지렛대 삼아 투자할 수 있는 거지. 이 경우, 내 자본으로만 투자한 경우보다 자기자본수익률이 증폭될 수 있는데, 이를 지렛대효과라고 해."

지렛대효과와 자기자본수익률

총투자액 10억 원으로 부동산투자 시 순수익 1억 원을 가정한 경우,

구분	전액 자기자본	자기자본+타인자본
투자액	총투자금액(=지분투자액) 10억 원	총투자금액 10억 원 중 5억 원을 연 4% 이자율로 대출받은 경우(원금만기일시상환조건) 지분투자액은 5억 원
지분수익	순수익 1억 원	순수익 1억 원에서 대출이자 2,000만 원(5억 원×4%)을 뺀 금액 8,000만 원
자기자본 수익률	$10\% \left(= \dfrac{\text{지분수익(1억 원)}}{\text{지분투자액(10억 원)}}\right)$	$16\% \left(= \dfrac{\text{지분수익(8,000만 원)}}{\text{지분투자액(5억 원)}}\right)$

총투자금액 전액을 자기자본으로 투자했을 때 자기자본수익률은 10%이지만, 타인자본 5억 원을 연 이자율 4%로 대출받아 지렛대로 활용했을 때, 자기자본수익률이 16%가 되었습니다. 전액 자기자본으로 투자한 경우에 비해 자기자본수익률이 6%만큼 증가한 것이죠. 이를 **지렛대효과**라 합니다.

눈을 반짝이는 칠성 씨를 보고, 윤득 씨는 말을 이어 갔다. "어느 곳에 투자할지를 정하기 위해서는 먼저 투자의 위험과 수익률에 대한 분석을 해봐야지. 수익률에는 투자대상에서 기대되는 수익률인 **기대수익률**과 투자자가 요구하는 수익률인 **요구수익률**이 있어. 투자가 되려면 기대수익률이 요구수익률보다는 커야 해. 투자자들은 일반적으로 위험을 싫어하니, 투자이론에서 특별한 언급이 없으면 위험회피형이라고 전제한단다. 위험회피형 투자자는 기대수익률이 동일한 경우 위험이 적은 투자안을 선택하지!"

기대수익률과 요구수익률

기대수익률

투자대상에서 기대할 수 있는 예상수입과 예상지출로 계산한 수익률

요구수익률

투자자가 대상부동산에 투자를 결정하기 위해 보장되어야 할 최소한의 수익률

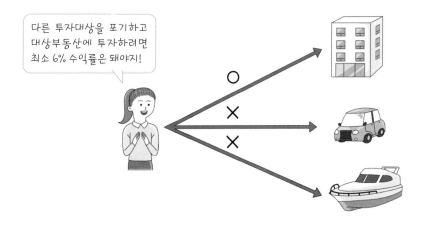

"그리고 일반적으로 위험이 높을수록 요구하는 수익률도 높아지는데, 이 관계를 위험-수익의 상쇄관계(risk-return trade-off)라고 해. 투자자가 그 위험을 상쇄시켜 줄 만큼의 고수익을 요구한다고 생각하면 되는 거야." 윤득 씨는 설명을 이어갔다.

"포트폴리오를 구성해서 분산투자를 하면 위험을 줄일 수 있다던데?" 칠성 씨가 물었다. "맞아. 부동산시장에는 지역별·유형별로 위험과 수익률이 다양한 매물이 존재하니, 분산투자를 하기 좋아. 하지만 체계적 위험은 주의해야 해. 이는 시장의 전체적인 움직임에 따른 것이라 피하기 어렵거든. 물론, 개별자산에 국한하여 영향을 미치는 비체계적 위험은 포트폴리오를 구성해 피할 수 있어." 윤득 씨는 열심히 조언했다.

체계적 위험과 비체계적 위험

시장을 '배'라고 가정해 봅시다. 배가 가라앉으면 모든 투자자산이 함께 가라앉으므로, 시장 전체에 영향을 미치는 체계적 위험은 포트폴리오를 구성해도 피할 수 없습니다.

비체계적 위험은 특정 개별자산에 국한하여 영향을 미치므로 A, B, C에 분산투자를 했다면 A 투자로 손해를 보더라도 B, C 투자를 통해 수익을 얻을 수 있죠.

하나의 투자대상에 100% 투자한 경우	투자대상 A, B, C에 분산투자한 경우
배가 가라앉는(=시장 전체에 영향을 미치는) 체계적 위험과 개별자산 A에서 생기는 비체계적 위험 모두 피할 수 없다.	배가 가라앉는 체계적 위험은 피할 수 없으나, 개별자산 A에서 생기는 비체계적 위험은 피할 수 있다.

10 부동산투자분석

윤득 씨는 부인 혜숙 씨에게 오늘 수업 때 배운 화폐의 시간가치에 대해 설명해 주었다. "당신은 현재의 돈 1억 원과 10년 후의 돈 1억 원 중 하나를 선택하라고 하면 어떤 돈을 선택하겠어?" 혜숙 씨가 웃으며 말했다. "당연히 현재의 돈 1억 원을 선택하지. 왜냐하면 현재의 돈 1억 원이 10년 후의 1억 원보다 가치가 크니까." 윤득 씨가 대답했다. "맞아. 그렇게 화폐의 시간가치를 이해해야 부동산투자를 잘 할 수 있지."

화폐의 시간가치

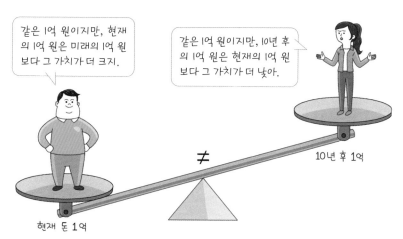

같은 1억 원이지만, 현재의 1억 원은 미래의 1억 원보다 그 가치가 더 크지.

같은 1억 원이지만, 10년 후의 1억 원은 현재의 1억 원보다 그 가치가 더 낮아.

현재 돈 1억

10년 후 1억

현재의 돈 1억 원 ≠ 미래의 돈 1억 원

윤득 씨가 이어 말했다. "이렇게 화폐의 가치는 시간에 따라 달라지지. 그렇다면 그 균형을 맞추기 위해서는 어떻게 하면 될까? 두 가지 방법이 있어. 첫째는 할증이야. 할증은 미래의 돈을 더 크게 만드는 방법이지. 그리고 둘째는 할인으로, 현재의 돈을 더 작게 만드는 방법이야." 혜숙 씨가 고개를 끄덕이며 말했다. "그럼 할증은 미래의 돈 1억 원에 +α를 붙이는 것이군. 마치 복리 이자를 붙이는 것처럼! 그리고 할인은 현재의 돈 1억 원에서 −α를 해서 미래의 돈과 균형을 맞추는 것이겠군." 윤득 씨가 고개를 끄덕였다.

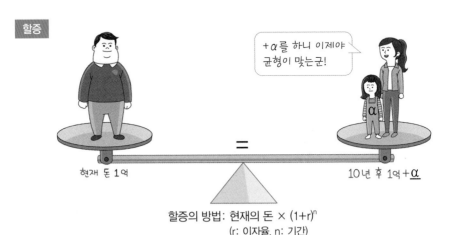

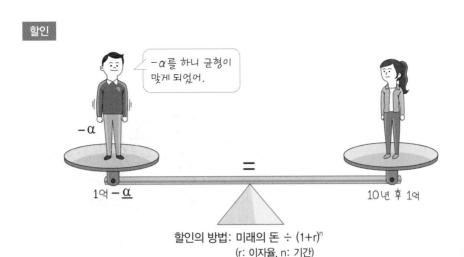

최근, 혜숙 씨는 고시원 투자를 권유받았다. 이에 윤득 씨가 고시원을 운영하며 1년 동안 얻을 수 있는 수익을 계산해 보았다. 먼저 고시원 운영을 통해 이론상 벌 수 있는 ① **가능총소득**을 구한 후 공실이나 기타소득 등을 고려하여 현실적인 총 임대료수입인 ② **유효총소득**을 계산했다. 유효총소득에서 영업경비를 공제하여 ③ **순영업소득**을 파악했다. 순영업소득에서 고시원을 살 때 은행에서 빌린 융자금에 대한 1년 치 원리금을 상환하여 지분투자자 배당 몫인 ④ **세전현금흐름**을 구했다. 세전현금흐름은 지분투자자의 세전수익이므로 여기서 영업소득세를 공제하여 ⑤ **세후현금흐름**을 구했다. 이것이 혜숙 씨(지분투자자)의 최종 세후 수익이 될 것이다. 혜숙 씨는 고시원을 일정 기간 보유한 뒤, 매각할 수 있을 것이다. 이때 고시원 처분으로 인해 차액은 혜숙 씨의 몫으로 되돌아오는데, 이 금액을 지분복귀액이라 한다.

소득이득과 자본이득 계산

영업의 현금흐름 계산(소득이득)

```
  단위당 예상임대료
× 임대단위 수
─────────────────────
  가능총소득 ────────────── ①
− 공실 및 불량부채(대손충당금)
+ 기타 소득
─────────────────────
  유효총소득 ────────────── ②
− 영업경비(관리비, 광고비 등)
─────────────────────
  순영업소득 ────────────── ③
− 부채서비스액(=원리금 상환액)
─────────────────────
  세전현금흐름 ───────────── ④
− 영업소득세
─────────────────────
  세후현금흐름 ───────────── ⑤
```

총수익
이론상 총임대료 수입: 가능총소득
현실적 총임대료 수입: 유효총소득
⇩
순수익(=순영업소득)
⇩
지분수익
세전지분수익: 세전현금흐름
세후지분수익: 세후현금흐름

매각 시 현금흐름 계산(자본이득)

```
  매도가격
− 매도경비
─────────────────────
  순매도가격
− 미상환저당잔금
─────────────────────
  세전지분복귀액
− 자본이득세
─────────────────────
  세후지분복귀액
```

▼ ONE POINT
'미상환저당잔금'은 처분 시 상환하지 못한 저당잔금을 말한다.

그렇다면 투자 분석 시, 화폐의 시간가치는 어떻게 고려해야 할까? 먼저, **할인현금흐름분석법**을 통해 미래의 현금흐름을 현재가치로 할인하여 투자판단을 내릴 수 있다. 구체적인 분석법으로 순현가법, 수익성지수법, 내부수익률법이 있다. 이는 화폐의 시간가치를 고려한 타당하고 정밀한 기법이지만, 너무 복잡한 계산 과정 때문에 실무에서는 잘 쓰이지 않는다.

대신, 실무에서는 **어림셈법**을 주로 사용한다. 이는 화폐의 시간가치를 고려하지 않고 투자액과 미래 1년 치 운영수익을 비교하는 방법으로, 구체적인 분석법에는 승수법과 수익률법이 있다. 어림셈법은 소규모 부동산으로 수익이 안정적으로 발생하는 투자대안을 분석할 때 유용하게 쓰인다.

할인현금흐름분석법과 어림셈법

할인현금흐름분석법

구분	개념	투자결정
순현가법	순현가 = (현금유입의 현가합) − (현금유출의 현가합)	• 순현가 ≥ 0: 투자 채택 • 순현가 < 0: 투자 기각
수익성 지수법	수익성지수 = $\dfrac{(현금유입의\ 현가합)}{(현금유출의\ 현가합)}$	• 수익성지수 ≥ 1: 투자 채택 • 수익성지수 < 1: 투자 기각
내부수익률 (IRR)법	투자안 자체의 수익률 (기대수익률)	• 내부수익률 ≥ 요구수익률: 투자 채택 • 내부수익률 < 요구수익률: 투자 기각

어림셈법

승수법		수익률법
$\dfrac{투자액}{1년\ 치\ 수익}$	⟺	$\dfrac{1년\ 치\ 수익}{투자액}$

▼ ONE POINT

승수와 수익률은 역수관계이다. 수익률이 클수록 좋은 투자 대상이므로, 승수가 작을수록 좋은 투자 대상이 된다.

11 부동산금융론

돌아온 수업 시간, 교수가 강의를 시작했다. "부동산금융에는 부채금융과 지분금융이 있습니다. 먼저, 부채금융이란 약속한 이자를 지급하는 대가로 타인의 자본을 조달하는 것입니다. 이때, 부동산을 담보로 은행에서 대출을 받는 것을 **저당금융**이라 하고, 차입자와 대출자(대출기관) 사이에서 저당이 형성되는 시장을 1차 저당시장이라 합니다."

저당금융 – 1차 저당시장

> 은행에서 부동산을 담보로 얼마나 대출을 받을 수 있을까? (최대 융자가능금액)

> 대출을 받으면 이자를 내야 하는데 고정이자율과 변동이자율 중 어느 것이 더 좋을까? (이자율)

> 대출을 받으면 상환을 해야 하는데 어떤 방식으로 상환하는 것이 좋을까? (저당 상환방법)

> 부동산담보대출 받으러 왔어요. 부동산가치는 6억 원입니다.

> 저희 은행에서는 담보가 되는 부동산의 가치를 기준으로 최대 50%까지 대출이 됩니다.

> 그럼 3억 원을 빌릴 수 있겠네요.

> 부동산의 가치를 기준으로 최대 3억 원까지 대출이 되지만 상환능력을 고려해야 해서, 차입자님의 소득을 알아야 합니다. 소득을 증빙하는 서류를 제출해 주세요.

그럼 제 연소득이 적으면 대출액도 적다는 거군요.

그럼 이자율은 어떻게 되나요?

네, 이렇게 부동산의 가치를 기준으로 융자액을 파악하는 것을 LTV(Loan To Value, 대부비율)라 하고, 소득을 기준으로 상환능력을 파악하여 융자액을 정하는 것을 DTI(Debt To Income, 소득대비 부채비율)라고 합니다.

고정이자율은 융자기간 동안 초기 이자율이 변동 없이 적용되고, 변동이자율은 시장상황에 따라 이자율이 변동됩니다.

변동이자율은 어떻게 변동되나요?

변동이자율은 기준금리(지표)+ 가산금리(마진)로 결정됩니다.

그럼 저는 어떤 이자율로 대출받는 것이 좋을까요?

초기이자율은 고정이자율이 높고 변동이자율이 낮습니다. 하지만 변동이자율은 융자기간 중 금리가 상승하여 고정이자율보다 높아질 우려도 있습니다.

따라서 향후 금리상승이 예상된다면 고정이자율이 차입자에게 유리하고, 금리하락이 예상된다면 변동이자율이 유리합니다.

그럼 고정이자율로 대출을 받으면 원금과 이자의 상환은 어떻게 이루어지나요?

아하, 금리의 흐름을 잘 예측해야겠군요.

이자 상환방법은 원금균등상환저당, 원리금균등상환저당, 체증식 융자금상환저당 방법 등이 있습니다.

원금균등상환저당은 융자기간 동안 원금상환액은 동일하나 이자지급액은 점차 감소하여 매기 원리금상환액도 후기로 갈수록 감소하는 상환방법입니다. 시간이 지나며 잔금이 줄어들기 때문에 이자지급액도 감소하게 됩니다.

다른 저당 상환방법은요?

원리금균등상환저당은 매기 원리금상환액은 동일하지만, 원리금 중 이자지급액은 잔금에 이자율을 곱하여 계산합니다. 잔금이 시간이 지날수록 감소하므로 이자는 후기로 갈수록 감소하게 되죠. 따라서 원리금 중 원금상환액은 시간이 지날수록 증가하게 됩니다.

또 체증식 융자금상환저당방법이란 초기의 원리금상환액 부담을 줄이는 대신, 점차 그 부담액을 늘리는 방법입니다. 미래에 소득증가가 예상된다면, 차입자의 초기부담을 줄여주므로 유리한 상환방법이겠죠?

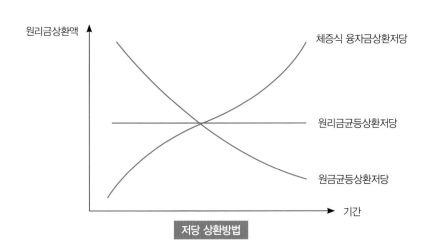

저당 상환방법

교수는 설명을 이어갔다. "1차 저당시장은 유동성의 위험을 겪습니다. 차입자가 큰 금액의 대출액을 장기간에 걸쳐 분할 상환하기에, 대출자인 은행의 자본이 금방 바닥나게 되는 위험이지요. 이에, 2차 저당시장에서는 저당유동화를 통해 유동성의 위험을 극복하려 합니다. 이 역할을 2차 대출기관(유동화중개기관)이 수행하는데, 우리나라에는 한국주택금융공사가 있습니다."

1차 저당시장과 2차 저당시장

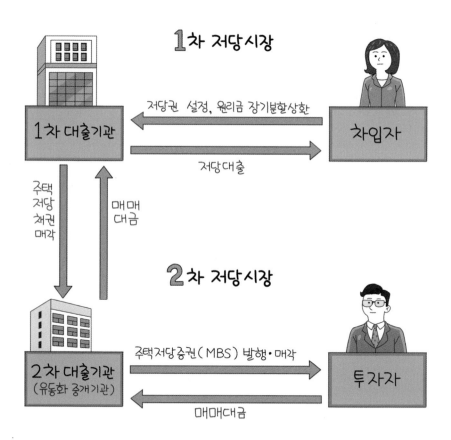

"1차 대출기관은 자산의 유동화를 위해, 차입자로부터 원리금을 받을 채권인 주택저당채권(mortgage)을 모아서(pool) 유동화중개기관에 매각합니다. 유동화중개기관은 매수한 주택저당채권을 기초자산으로, 주택저당증권(MBS, Mortgage-Backed Securities)을 발행하여 유동화 업무를 수행합니다."

MBS 발행의 효과

금융기관
유동성위험이 해소되어 대출여력이 확대되었어요.

차입자
은행에서 대출받기가 쉬워지고 장기, 저리로 주택자금을 차입할 수 있게 되었어요.

투자자
적은 위험으로 국제수준 이상의 수익률을 올릴 수 있게 되었어요.

정부
주택금융의 활성화로 주거안정에 기여할 수 있게 되었어요.

교수는 이어서 부동산을 담보로 대출받는 것이 아니라 특정 프로젝트로부터 발생될 것으로 예상되는 미래의 현금흐름을 담보로 자금을 조달하는 기법인 프로젝트 파이낸싱(Project Financing)에 대해 설명했다. 프로젝트 파이낸싱은 프로젝트의 수익성을 담보로 하므로 이론상 사업주가 보증이나 담보를 제공하지 않아 사업주가 부채상환의무를 부담하지 않는데, 이를 비소구금융이라 한다.

프로젝트 파이낸싱

"지분금융도 궁금합니다." 앞자리 학생의 말에 교수가 대답했다. "지분금융이란 개발사업의 지분권을 제공하는 대가로 투자자를 모집하여 자금을 융통하고 자기자본을 조달하는 방법입니다." 교수는 지분금융의 사례로 부동산투자회사를 설명해 주었다. "부동산투자회사(Real Estate Investment Trusts, REITs)란 불특정 다수의 투자자로부터 주식 등을 발행하여 투자자금을 모금한 후, 부동산 소유지분이나 부동산 관련 상품에 투자하여 수익을 얻고, 이를 투자자에게 배당 등의 형태로 되돌려주는 제도입니다."

"우리나라의 부동산투자회사는 「부동산투자회사법」의 규정에 따라 주식의 발행을 통해 자금을 조달합니다. 부동산투자회사에는 실체상의 회사인 자기관리 부동산투자회사, 명목회사인 위탁관리 부동산투사회사, 기업구조조정 부동산투자회사가 있습니다." 교수는 금융론 강의를 마쳤다.

부동산투자회사(REITs)

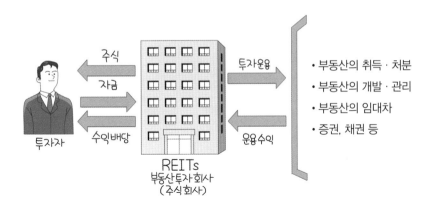

▼ ONE POINT

명목회사(서류상 회사, paper company)란 물리적 실체가 없고 상근임직원이 없이 서류 형태로만 존재하면서 회사기능을 하는 회사이다. 자산의 투자, 운용 등을 제3자에게 위탁하며, 회사의 존속기간은 설립목적에 따라 다르다.

12 부동산개발론

이어지는 강의 주제는 '부동산개발론'이다. "부동산개발이란 토지에 인간이 개입하여 토지의 유용성을 증대시키는 행위입니다. 여기에는 토지 자체를 개량하는 방법과 건축에 의한 개량 방법이 있습니다." 교수가 말했다.

부동산개발의 과정

아이디어 단계
이 근처에 오피스텔을 지어 분양하고 싶어.

오피스텔을 짓는 비용과 들어올 수익을 대략 조사해 보니 나쁘지 않네.

예비적 타당성분석 단계

부지모색과 확보 단계

부지확보가 되었으니 법률적·경제적·물리적인 측면에서 세밀하게 타당성을 분석하자.

아이디어를 실현시킬 부지를 확보하자.

타당성분석 단계

금융 단계
타당성분석이 완료되었으니 건설자금을 융통해야지.

건설 단계
드디어 건물을 올리기 시작했어!

마케팅 단계
광고·홍보를 통해 분양이나 임대가 잘 되도록 하자.

부동산개발에는 크게 세 가지 위험이 따른다. "법률적 위험이란 토지개발규제, 소유권 문제 등 법적 측면에서 발생하는 위험이며, 시장위험은 시장의 불확실성 때문에 개발업자가 겪을 수 있는 위험입니다. 비용위험은 개발기간 연장, 인플레이션 등 예상치 못한 사유로 비용이 증가하는 위험을 뜻합니다." 교수가 설명했다.

부동산개발의 위험

법률적 위험

이 토지를 용도변경해서 오피스텔을 지으려고 했는데, 용도변경이 안 되는 토지네.

오피스텔을 지으면 일조권·조망권이 침해되니 소송을 제기할 겁니다.

이를 방지하기 위해 오피스텔을 지을 수 있는 용도로 허가된 토지를 구입하는 것이 좋습니다.

시장위험

정부의 갑작스러운 부동산규제로 오피스텔에 대한 수요가 줄어 분양이 되질 않아.

이런 불확실성에 대비하기 위하여 시장조사를 철저히 해야합니다.

비용위험

철근 가격 급등으로 건축비가 예상보다 많이 소요되었어.

비용위험을 방지하기 위해 개발업자가 시공사와 계약을 체결할 때 최대가격보증계약을 체결할 필요가 있습니다.

▼ ONE POINT

'최대가격보증계약'은 개발사업에 실제로 든 비용이 계약금액을 초과하더라도 개발업자는 추가적인 비용을 부담하지 않는다는 계약이다.

"민간의 부동산개발은 어떻게 이루어지나요?" 윤득 씨의 질문에 교수가 답했다. "민간의 부동산개발 방식에는 자체개발사업, 지주공동사업, 토지개발신탁형 사업, 컨소시엄 구성 방식 등이 있습니다. 각 방법마다 토지소유자의 개발 참여 방식과 위험부담이 달라집니다."

민간의 부동산개발 방식

먼저 **공사비 대물변제 방식**이 있는데, 이건 토지 소유자가 토지를 제공하면 개발업자가 시공회사가 되어 공사비를 조달하여 부동산을 개발하는 방식이야. 개발된 부동산을 제공된 토지가격과 공사비의 비율에 따라 서로 나누어 가지지.

흠, 그래? 그럼 또 다른 방식은 뭐야?

분양금 공사비지급 방식이 있어. 토지소유자가 토지를 제공하고 개발업자가 공사비를 조달하는 건 같지만, 개발된 부동산을 분양한 분양금을 나누어 가지는 방식이야.

그렇구나.

그 외에 **토지개발신탁형**도 있어. 토지소유자가 토지를 개발하기 위한 목적으로 신탁하는 거야.

신탁이 뭐지?

신탁은 믿고 맡긴다는 의미야. 토지개발신탁은 토지를 개발하려는 목적으로 신탁회사에 형식상 소유권을 넘겨 개발사업을 하는 거야.

뭐가 많네. 설마 또 있어?

응, 컨소시엄 구성 방식이 있어.

어, 이건 알 것 같아. 여러 건설회사가 컨소시엄을 구성하여 개발하는 거지?

맞아. 대규모 개발사업을 하는 데 자금의 조달이나 상호 기술 보완 등이 필요하면 여러 법인들이 컨소시엄을 구성해서 사업을 수행하는 거지.

13 부동산관리론

그렇다면 어렵게 개발한 부동산을 어떻게 관리할 수 있을까? 교수는 이렇게 설명했다. "**부동산관리**란 부동산을 그 목적에 맞게 최유효이용을 할 수 있도록, 부동산의 3대 측면(법률적 측면, 경제적 측면, 기술적 측면)을 관리하는 것입니다. 여기에는 부동산의 취득, 유지, 보존, 이용, 개량 등 운용과 관련된 모든 행위가 포함됩니다."

부동산의 관리

기술적 관리

대상부동산의 물리적·기능적인 하자에 대한 기술적인 조치 및 이에 대한 사전예방 행위를 말해.

경제적 관리

대상부동산을 활용하여 순수익이 합리적으로 산출되도록 하기 위한 관리를 말해.

법률적 관리

부동산의 행정적·법률적 하자의 제거와 예방을 위하여 행정상·법률상 절차와 조치를 취하는 관리행위를 말해.

"부동산관리 방식에 대해 말씀드리겠습니다. 먼저, 3대 측면 모두를 소유자가 직접 관리하는 **자가관리**가 있습니다. 반대로, 3대 측면 모두에 대한 관리를 전문가에게 맡기는 **위탁관리**가 있죠. 그리고 법률적·경제적 측면의 관리는 소유자가 직접 수행하되, 기술적 측면의 관리를 타인에게 위탁하는 **혼합관리**가 있습니다."

부동산관리의 방식

자가관리

소유자가 관리 전문가가 아닌 경우 전문성이 떨어지고 타성에 빠지기 쉬워요. 아울러 다른 직업에 종사하기가 곤란하죠.

소유자가 직접 관리하니까 기밀유지와 보안관리에 좋고 소유자의 지시 및 통제권한이 강합니다.

위탁관리

관리 전문가에게 위탁하니 효율적인 관리가 가능하고, 관리업무가 타성에 빠지는 것을 방지할 수 있습니다. 무엇보다 소유자는 본업에 전념할 수 있어서 좋아요.

기밀유지와 보안관리 면에서 좋지 않고 위탁수수료가 듭니다.

혼합관리

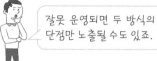

잘못 운영되면 두 방식의 단점만 노출될 수도 있죠.

자가관리와 위탁관리의 장점을 채택할 수 있어요.

14 부동산마케팅

부동산마케팅에 대한 강의가 이어졌다. "부동산마케팅이란 물적 부동산, 부동산 서비스, 부동산 증권 등을 매매하고 임대차하는 일련의 체계적 시장 활동을 뜻합니다. 부동산마케팅 전략은 세 가지 차원에서 접근하는데요. 먼저, 공급자의 전략 차원인 시장점유마케팅 전략으로, **STP 전략**과 **4P MIX 전략**이 있습니다. 그중 STP 전략은 전통적인 전략으로서 시장세분화(Segmentation), 표적시장(Target), 차별화(Positioning) 전략을 말합니다."

4P MIX 전략

"다음으로, 소비자행동이론 차원에서 고객점유마케팅을 펼치는 **AIDA 전략**이 있습니다. 끝으로, 공급자와 소비자의 장기적이고 지속적인 상호작용을 중시하는 관계마케팅이 새로운 개념으로 등장하고 있습니다. 이는 '브랜드'나 '프랜차이즈' 문제와 관련이 깊습니다." 교수의 설명에 윤득 씨는 고개를 끄덕였다.

AIDA 전략

주목(Attention)을 끄는 단계

1년 만의 대박 찬스! 채널 고정하세요.

흥미(Interest)를 끄는 단계

신소재를 사용해서 정말 가볍고 날아갈 듯해요.

우리 아들에게 꼭 필요할 것 같아.

욕망(Desire) 촉구 단계

판매 종료되기 전에 어서 사야지.

행동(Action) 단계

15 감정평가 총론

수업이 끝난 뒤, 윤득 씨는 평소 궁금했던 점을 교수에게 질문했다. "감정평가는 무엇인가요?" 교수가 답했다. "감정평가란 토지 등의 경제적 가치를 판정하여, 그 결과를 가액으로 표시한 것을 말합니다. 토지 외에 동산, 특허권, 상표권 등 각종 권리도 평가 가능합니다."

감정평가의 분류

개별평가

감정평가는 대상물건마다 개별로 해야 돼.

일괄평가

둘 이상의 대상물건이 일체로 거래되거나, 대상물건 상호 간에 용도상 불가분의 관계가 있는 경우에는 일괄하여 감정평가할 수 있어.

구분평가

하나의 대상물건이라도 가치를 달리하는 부분은, 이를 구분하여 감정평가할 수 있지.

부분평가

일체로 이용되고 있는 대상물건의 일부분에 대하여 감정평가하여야 할 특수한 목적이나 합리적인 이유가 있는 경우에는, 그 부분만에 대하여 감정평가할 수 있어.

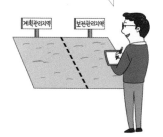

계획관리지역 보전관리지역

도로예정지

"공인중개사가 알려주는 부동산가격과 다른 건가요?" 윤득 씨가 물었다. "공인중개사는 시장에서 실제로 거래된 가격을 알려줍니다. 그런데 그 가격이 투기가격이거나 담합한 가격일 수 있겠죠? 따라서 감정평가사가 통상적인 시장에서 형성될 수 있는 정상적인 가격을 파악하여 평가하는데, 이를 감정평가라고 합니다." 교수가 답했다.

감정평가의 기능

시장가치에 근거하여 세금을 부과하면 과세의 합리화가 이루어지지.

부동산 감정평가를 바탕으로 지역분석을 할 수도 있고, 사업계획에 반영하는 등 부동산을 효율적으로 이용하고 관리할 수 있어.

감정평가 결과에 따라 부동산가격이 적정화되었군.

공공개발로 사유재산권을 침해받으면 감정평가를 통해 산정된 가격을 근거로 합리적 손실보상을 받을 수 있어.

16 부동산가격(가치)이론

교수는 추가 학습을 원하는 윤득 씨에게 감정평가사 경미 씨를 소개해 주었다. 경미 씨는 부동산가격의 특징을 알려주었다. "① 부동산은 내구재로, 장기적 배려하에 가격이 형성됩니다. ② 부동산은 지역에 따라 가격이 달라집니다. ③ 부동산은 개별성이 있어, 같은 면적이라도 위치·모양·경사 여부 등에 따라 가격이 달라집니다. ④ 부동산가격 상승 폭은 크더라도 하락 폭은 크지 않습니다."

부동산가격(가치)의 특징

설명은 계속됐다. "부동산가격(가치) 발생요인에는 효용, 유효수요, 상대적 희소성이 있습니다. 효용이란 부동산이 주는 유용성으로, 부동산에 대한 수요를 유발하죠. 이 중, 지불 능력이 뒷받침된 수요를 유효수요라고 합니다. 한편, 공급 측면에서는 상대적 희소성이 가격 발생요인이 되죠."

부동산가격(가치) 발생요인

효용

이 건물은 나에게 수익이라는 효용이 있어.

이 집이 내게 주는 효용은 쾌적함이야.

유효수요

내가 아무리 사고 싶다고 해도 유효수요가 될 수 없네.

상대적 희소성

일반적인 공기는 가격을 매기지 못하지만, 캔에 담은 맑은 공기는 희소성이 있으므로 값을 매겨 팔 수 있어.

"부동산가격(가치) 발생요인에 영향을 주는 부동산가격(가치) 형성요인도 있습니다." 경미 씨는 설명을 이어갔다. "여기에는 일반요인, 지역요인, 개별요인이 있는데요. 먼저, 일반요인이란 사회적·경제적·행정적 환경 등 부동산 전반에 영향을 미치는 요인이에요. 지역요인은 특정 지역 내의 부동산가격에만 영향을 주는 요인입니다. 개별요인은 대상부동산의 가격에만 영향을 미칩니다."

부동산가격(가치) 형성요인

면적은 동일하지만 A토지는 정사각형의 잘생긴 토지이고 B토지는 부정형의 못생긴 토지입니다.

자, 두 토지 중 한 토지를 드리겠습니다. A토지와 B토지 중 어느 토지를 선택하시겠습니까?

그야 당연히 A토지죠.

여기 A토지를 드릴게요.

A토지는 시골 산속 깊은 곳에 있는 토지이다. 그에 비해 B토지는 강남 한복판에 있는 토지이다.

으악!

토지가 정사각형이냐 부정형이냐는 그 토지 자체의 가격에만 영향을 미치는 **개별요인**입니다.

그런데 그 토지가 위치한 지역에 따라서도 토지가격은 영향을 받죠. 이처럼 그 지역에 속하는 부동산가격 수준을 형성하는 요인을 **지역요인**이라 합니다. 당신은 개별요인만 고려하고 지역요인은 고려하지 못했네요.

B토지로 바꿔주실 순 없을까요?

17 지역분석과 개별분석

"부동산가격은 지역과 개별 상태에 따라 달라지기에, 지역요인과 개별요인을 모두 분석해야 해요." 경미 씨가 말했다. "먼저, 지역분석을 통해 그 지역의 일반적이고 평균적인 이용인 표준적 이용을 파악하고 지역요인들을 분석합니다. 이를 통해 그 지역의 평균가격을 산출한 뒤, 대상부동산의 구체적인 가격을 판정하는 개별분석을 진행합니다. 부동산은 개별성을 가지므로, 평균가격보다 높거나 낮게 가격이 책정될 수 있겠죠."

지역분석과 개별분석

지역분석

이 지역은 주거지역으로 이용되고 있고, 평균적으로 ㎡당 100만 원 정도의 가격이 형성되어 있구나.

개별분석

대상부동산은 별 모양의 부정형 획지이니, 지역의 평균가격에서 10만 원 낮춰서 ㎡당 90만 원으로 평가해야겠군.

대상부동산

▼ ONE POINT
지역분석이 대상지역에 대한 거시적 분석이라면, 이를 바탕으로 한 개별분석은 대상부동산에 대한 미시적 분석이라고 할 수 있다.

"지역분석의 대상은 무엇인가요?" 윤득 씨가 물었다. "먼저, 인근지역과 유사지역을 분석합니다. 인근지역이란 감정평가의 대상부동산이 속한 지역으로, 가치형성요인 중 지역요인을 공유합니다. 유사지역이란 대상부동산이 속하지 않지만, 인근지역과 유사한 특성을 보이는 지역이에요. 유사지역은 인근지역과 가까울 수도, 떨어져 있을 수도 있습니다." 경미 씨가 답했다.

지역분석의 대상

인근지역

인근지역의 지역특성이 대상부동산의 가치형성에 직접 영향을 미치지.

인근지역의 사회적·경제적·행정적 위치는 고정적이지 않고 유동적이야.

동일수급권

노량진 고시촌
—다수의 고시원이 밀집

인근지역

대상부동산

"끝으로, 동일수급권을 분석합니다. 동일수급권이란 대상부동산과 대체 · 경쟁관계가 성립하고 가격 형성에 서로 영향을 미치는 부동산이 존재하는 권역으로, 인근지역과 유사지역을 포함합니다." 경미 씨가 이어서 답했다.

"동일수급권을 파악하는 이유는 무엇인가요?" 윤득 씨가 물었다. "감정평가방법 중 거래사례비교법은 대상부동산과 동일성 또는 유사성이 있는 거래사례를 선택하여 대상부동산과 비교하여 가격을 구하는 방법입니다. 이때 거래사례는 동일한 시장지역인 동일수급권 내의 인근지역이나 유사지역에서 선택하므로 동일수급권을 파악할 필요가 있습니다." 경미 씨가 웃으며 답했다.

유사지역

18 부동산가격의 제 원칙

"부동산가격이 형성되고 유지되는 원칙이 있나요?" 윤득 씨가 물었다. "맞습니다. 감정평가의 행위지침이 되는 가격원칙이 있어요." 경미 씨가 답했다. "첫째, 토지의 다양한 용도 중 토지가 최유효이용되는 경우를 표준으로 삼아 가격이 형성된다는 **최유효이용원칙**이 있습니다. 둘째, 대상부동산의 내부적 요인을 반영하여 가격이 형성된다는 **내부원칙**이 있습니다."

부동산가격의 내부원칙

균형의 원칙

내부적으로 균형이 맞지 않아. 건물가격을 낮게 평가해야겠어.

기여의 원칙

건물을 구성하는 부분의 기여도를 반영하여 가격을 평가해야지.

수익 체증 · 체감의 원칙

4층보다 1층에서 나오는 수익이 많으니, 1층의 가격을 더 높게 평가해야겠군.

수익 배분의 원칙

토지에 귀속되는 수익을 바탕으로 토지가격을 평가해야지!

자본
노동
경영

토지

설명이 계속됐다. "셋째, 부동산가격은 주변 환경과의 관계 속에서 형성된다는 **외부원칙**이 있습니다. 여기에는, 가격은 주변 환경과의 적합 관계를 반영한다는 적합의 원칙, 외부환경의 영향을 받는다는 외부성의 원칙이 포함됩니다. 그 외에도 시간의 흐름 속에서 부동산 가격은 변화한다는 **시간원칙**과 기타 원칙이 있습니다."

부동산가격의 외부원칙

적합의 원칙

주택은 주거지역에, 공장은 공업지역에 위치해야 유용성과 가치가 높아지지.

주거지역 공업지역

외부성의 원칙

사회적·경제적·행정적 외부요인에 따라 가격이 달라질 수 있어.

부동산가격의 시간원칙

변동의 원칙

이 토지는 택지로 변했으니 계속 논으로 평가해서는 안 돼.

예측의 원칙

이제 재건축이 되면 가격이 크게 뛸 거야!

19 감정평가의 방식

감정평가방식에는 크게 세 가지가 있다. "첫째, **원가방식**이란 공급자 입장에서 해당 건물을 지을 때 어느 정도의 비용을 투입하였는지를 기준으로 평가하는 방법이에요. 고급자재를 사용했다면 건물의 가격은 높게 평가받겠죠. 이때, 원가방식으로 가격을 구하면 원가법, 임료를 구하면 적산법이라고 합니다." 경미 씨가 말했다.

원가법

재조달원가
(새 건물가격)

평가대상이 된 건물을 새로 지을 때 비용이 얼마나 들지를 먼저 구해야 해.

― 감가누계액

이 건물이 사용되어 현재 헌 건물이 된 상태라면 새 건물가격보다는 낮은 가격으로 평가를 해야겠지?

적산가액
(현 건물가액)

그래서 건물에서 발생한 감가요인들을 고려하여 감가누계액을 구하고, 이를 재조달원가에서 공제해 주면 현재 헌 건물 상태의 가격을 산출할 수 있어.

▼ ONE POINT

적산가액이란 부동산을 구성하는 부분들의 비용을 쌓아서 계산한 가액이란 뜻이다. 원가법에 따라 산정된 가액을 적산가액이라 한다.

"적산법은 생소하네요." 윤득 씨의 말에 경미 씨가 덧붙였다. "적산법은 취득한 부동산가격을 기준으로 임료를 구하는 방법입니다. 임대인이 임차인으로부터 받는 임료에는 두 가지가 있는데, 두 임료를 쌓아서 계산한다는 뜻으로 이해하면 쉬워요."

적산법

[(기초가액 × 기대이율) + 필요제경비 = 적산임료]

임료는 어떻게 구하나요?

취득한 부동산에서 기대되는 수익률을 **기대이율**이라 하는데, 기대이율이 연 5%라고 가정해 봅시다. 그러면 기초가액(10억 원) × 기대이율(연 5%) = 연 5,000만 원입니다. 5,000만 원은 임대인이 임차인에게서 받는 임대료 수입이 됩니다.

임료 수입을 얻기 위해 부동산을 10억 원을 주고 취득한 임대인이 있다고 가정해 봅시다. 부동산가격은 임료를 구하기 위한 기초가 되는 **기초가액**이라 합니다.

임대인의 부동산에서는 화재보험료, 관리인 월급 등 여러 가지 경비가 발생합니다. 그 경비를 임차인에게서 받은 5,000만 원에서 지급하면, 임대인은 밤에 잠이 안 올지도 모르죠.

그런데 5,000만 원만 임차인에게 받는 게 맞나요? 뭔가 부족해 보이는데…….

수익이 줄게 되니까요.

하지만 임차인은 부동산을 통해 학원, 식당 등을 운영하여 수익을 얻습니다. 그러므로 부동산 자체에서 발생하는 경비는 임차인에게 받아야 합당한데, 이를 **필요제경비**라 합니다.

임차인에게 받는 임료에는 2가지가 있습니다. 기초가액에 기대이율을 곱하여 계산한 순임료적 성격의 임료와, 부동산에서 발생하는 각종 경비로 사용하기 위한 필요제경비라는 임료입니다. 두 임료를 쌓아서 계산한다고 하여 **적산임료**라 하지요.

"두 번째 방식은 **비교방식**이에요. 그중 거래사례비교법은 대상부동산과 동일성 또는 유사성이 있는 부동산이 거래된 경우, 해당 거래가격을 대상부동산의 현황에 맞게 수정하여 비준가액을 구하는 방법입니다. 임대사례비교법은 비교방식으로 임료를 현황에 맞게 수정하여 비준임료를 구하는 방법이에요."

거래사례비교법과 임대사례비교법

거래사례가격×사정보정×시점수정×지역요인비교×개별요인비교×면적비교=**비준가액**
사례임료×사정보정×시점수정×지역요인비교×개별요인비교×면적비교=**비준임료**

우리가 구하고자 하는 대상아파트의 가격은 '기준시점에서 구하는 정상적인 가격'입니다. 이때 **거래사례가격**으로, 1년 전 유사지역에서 급매로 거래된 아파트 가격을 선택했다고 가정해 보죠.

첫째, 우리는 급매로 싸게 거래된 가격이 아니라 정상적인 가격을 알고 싶은 것이므로, 급매 가격을 보정하여 정상적인 가격으로 수정해줘야 합니다. 이를 **사정보정**이라 합니다.

둘째, 우리는 평가의 기준이 되는 시점인 기준시점에서의 가격이 알고 싶습니다. 따라서 1년 전 거래시점가격을 기준시점가격으로 수정해주는 작업이 필요한데, 이를 **시점수정**이라 합니다.

셋째, 우리는 인근지역 내의 대상아파트 가격을 알고 싶습니다. 그런데 거래사례아파트는 유사지역에 존재하므로 지역격차를 보정하여 인근지역에서 팔린 가격으로 수정을 해줍니다. 이를 **지역요인비교**라고 합니다.

넷째, 대상아파트와 거래사례아파트는 위치, 층, 방위 등 여러 가지 측면에서 개별격차가 있을 수 있으므로, 이를 대상아파트에 맞게 수정하는 작업이 필요합니다. 이를 **개별요인비교**라고 합니다.

다섯째, 대상아파트와 거래사례아파트의 면적차이를 수정해야 합니다. 이를 **면적비교**라고 합니다. 이 과정들을 거쳐 산정된 가액이 **비준가액**입니다.

"수익이 많이 나오면 부동산가격도 높게 평가되나요?" 윤득 씨가 물었다. "맞아요. 그것이 수익방식입니다. 수익방식은 물건의 수익성을 반영한 수익가액을 구하는 수익환원법과, 기업을 경영하여 산출된 총수익을 분석한 수익임료를 구하는 수익분석법으로 나뉩니다." 경미 씨가 답했다.

수익환원법과 수익분석법

수익가액은 어떻게 구하나요?

예를 들어, 운영을 하면 연간기준으로 순수익 1억 원이 나오는 부동산이 있다고 가정해 보죠. 얼마까지 지불하고 이 부동산을 살 의향이 있으신지요?

음. 10억 원까지는 지불하고 살 의향이 있습니다.

순수익 1억 원을 통해 10억 원이란 가격을 구할 수가 없네요. 어떻게 하면 1억 원이 10억 원으로 변할 수 있을까요?

이 경우 1억 원×10을 해도 10억 원이 되지만, 1억 원/0.1을 해도 10억 원이 됩니다. **수익환원법**은 후자의 방법을 채택합니다.

이 경우 0.1을 **환원이율**이라고 하는데, 이는 1억 원이란 순수익을 10억 원이라는 가격으로 환원시켜 주는 이율이란 의미입니다. 수익환원법에 따라 산정된 가격을 **수익가액**이라 합니다.

$$\frac{순수익}{환원이율} = 수익가액$$

그렇군요. 그러면 **수익임료**는요?

수익임료는 기업을 경영하며 산출된 총수익을 분석하여, 대상부동산이 일정 기간 산출할 것으로 기대되는 순수익을 구한 뒤, 필요제경비를 더하여 대상물건의 임료를 산정합니다.

순수익 + 필요제경비 = 수익임료

20 부동산가격 공시제도

부동산가격 공시제도에는 토지가격공시제도와 주택가격공시제도 등이 있습니다. **"토지가격공시제도**에는 표준지공시지가제도와 개별공시지가제도가 있습니다. 표준공시지가는 국토교통부장관이 지가대표성이 있는 약 54만 필지의 표준지를 선정 · 조사하여 공시하는 표준지의 단위면적당 가격(원/㎡)입니다. 개별공시지가는 시 · 군 · 구청장이 결정 · 공시하는 관할구역 내 개별토지의 가격으로, 표준공시지가를 기준으로 산정합니다." 경미 씨가 말했다.

토지가격공시제도

표준공시지가의 공시 기준일은 언제인가요?

원칙적으로 매년 1월 1일로, 통상적으로 2월 말 공시됩니다.

표준공시지가는 어떻게 활용되나요?

표준공시지가는 토지시장의 지가 정보를 제공하고, 일반적인 토지거래의 지표로 활용됩니다. 또한, 국가·지방자치단체 등이 업무와 관련해 지가를 산정하거나 감정평가법인 등이 개별적으로 토지를 감정평가하는 경우에 기준이 됩니다.

그럼 개별공시지가는요?

개별공시지가는 매년 5월 31일까지 결정·공시되어야 합니다. 이는 국세, 지방세, 각종 개발부담금 산정의 기초자료로 활용됩니다.

설명은 계속됐다. **"주택가격공시제도**란 주택을 구성하는 토지와 건물의 적정가격을 통합·평가하여 공시하는 제도입니다. 단독주택가격공시제도와 공동주택가격공시제도가 있습니다. 단독주택가격의 공시제도에는 표준주택 가격공시제도와 개별주택 가격공시제도가 있습니다. 공동주택가격공시란 국토교통부장관이 공동주택의 적정가격을 조사·산정하여 매년 4월 30일까지 공시하는 가격으로, 국가·지자체 등 기관이 과세 등의 업무와 관련하여 주택의 가격을 산정할 때 기준이 됩니다. 한국부동산원에 의뢰하여 전수조사를 하기에, 표준주택과 개별주택으로 구분하지 않습니다." 경미 씨의 설명이 끝났다. "덕분에 감정평가에 대해 잘 이해할 수 있었어요." 윤득 씨는 감사 인사를 전했다.

주택가격공시제도

표준주택가격

개별주택가격

공시 기준일은 매년 1월 1일이며, 개별주택가격 산정의 기준으로 활용합니다.

매년 4월 30일까지 공시하며, 국가·지자체 등의 기관이 과세를 비롯한 업무와 관련하여 주택 가격을 산정하는 기준이 됩니다.

시장   군수   구청장

지역별 공동주택 분포 현황

(단위: 만 호, 2022년 기준)

전국	서울	부산	대구	인천	광주
1,454	265.8	106.6	66.4	94.2	45.4
대전	울산	세종	경기	강원	충북
41.6	32.2	13.0	403.1	39.2	42.6
충남	전북	전남	경북	경남	제주
55.1	45.4	39.8	62.4	86.4	14.6

01 (   )은/는 부동산을 유형 · 무형의 법률 · 경제 · 기술의 3대 측
면이 복합된 개념으로 이해하는 것을 말한다.

02 (   )은/는 하나의 지번을 가진 토지로서 토지의 등록단위를 말
한다. 「공간정보의 구축 및 관리 등에 관한 법률」상의 용어로서 토지소유
자의 권리를 구분하기 위한 표시이다. 토지의 법률적인 최소 단위로, 같은
지번으로 에워싸인 토지이다. 토지에 대한 법률관계, 특히 권리변동관계
의 기준적 단위개념으로서 한 개의 토지소유권이 미치는 범위와 한계를
표시한다. 이는 권리를 구분하기 위한 법적 개념이다.

03 (   )은/는 인위적 · 자연적 · 행정적 조건에 의해 다른 토지와 구
별되는 가격수준이 비슷한 일단의 토지로서, 토지이용을 상정하여 구획되
는 경제적 · 부동산학적인 단위개념이다. 또한 행정적 · 법률적 · 인위적 ·
물리적 · 자연적 기준에 따라 다른 토지와 구별되어 토지의 이용이나 부
동산활동 또는 부동산현상의 단위면적이 되는 일획의 토지이다. 이는 가
격수준을 구분하기 위한 경제적 개념이다.

04 (   )은/는 건축물을 건축할 수 있는 토지로서 주거용 · 상업용 ·
공업용으로 이용 중이거나 이용 가능한 토지이다. 부동산감정평가상의 용
어로서 건축용지만을 의미한다.

05 (   )은/는 부동산의 용도적 지역인 택지지역, 농지지역, 임지지
역 상호 간에 전환되고 있는 지역의 토지를 말한다.

정답 01 복합개념의 부동산   02 필지(筆地)   03 획지(劃地)   04 택지   05 후보지

06 (　　　　　)은/는 당해 기간 말(처분 시)에 발생하는 소득, 즉 자산가치의 상승에 따른 이익을 말한다.

07 (　　　　　)은/는 지리적 위치의 고정성 또는 비이동성으로, 토지의 위치는 인위적으로 이동하거나 지배하지 못한다는 특성을 말한다. 모든 부동산활동은 (　　　　　)을/를 전제로 전개된다.

08 (　　　　　)은/는 거시적 측면에서 토지의 양이 불변이라는 것으로, 생산비를 투입하여 물리적으로 양을 늘릴 수 없다는 특성을 말한다. 따라서 토지의 물리적 공급은 불가능하다. 물론 택지조성이나 수면매립을 통해 토지의 양을 다소 증가시킬 수 있으나, 이는 토지의 물리적 증가라기보다는 토지이용의 전환 내지 유용성의 증가라는 측면에서 파악해야 한다.

09 (　　　　　)은/는 사용이나 시간의 흐름에 의해서 소모와 마멸이 되지 않는다는 토지의 특성이다. 유용성의 측면에서는 변화할 수 있으므로 양면성을 가지고 있다.

10 (　　　　　)은/는 지리적 위치의 고정성으로 인해 물리적으로 완전히 동일한 복수의 토지는 있을 수 없다는 특성이다. 이는 부동성에서 연유된 특징으로, 물리적으로는 대체가 어려우나 이용 측면에서는 대체가 가능하다.

11 (　　　　　)은/는 책상 위에서의 탁상활동과 대응되는 개념으로 장소에 임한다는 뜻이며, 현장에 직접 가보는 부동산활동을 말한다. 부동산은 부동성이라는 특성이 있으므로 의사결정을 위해서는 현장을 방문하여 직접 확인하는 이 활동이 필요하다.

12 (　　　　　)은/는 일정 기간 또는 시점에 성립할 수 있는 단위당 가격과 수요량의 관계를 나타낸 곡선이다.

정답　06 자본이득　07 부동성　08 부증성　09 영속성　10 개별성
11 임장활동　12 수요곡선

13 (　　　　　)은/는 일정 기간 또는 시점에 성립할 수 있는 단위당 가격과 공급량의 관계를 나타낸 곡선을 말한다. 일반적으로 공급자는 가격이 오르면 공급량을 늘리고, 가격이 떨어지면 공급량을 줄이는데, 이 관계를 그림으로 나타낸 것이다. 일반적으로 우상향하는 모양으로 나타난다.

14 (　　　　　)은/는 다른 모든 요인들은 일정하다고 가정할 때, 해당 상품 가격(임대료)의 변화에 의해 수요량이 변하는 것이다. 수요곡선 자체가 이동하는 것이 아니라 동일 수요곡선상에서의 점의 이동으로 나타난다.

15 (　　　　　)은/는 해당 상품가격(임대료) 이외의 요인이 변화하여 일어나는 수요량의 변화로, 수요곡선 자체의 이동으로 나타난다. 수요곡선이 우상향(또는 좌하향)으로 이동하는 것은 수요의 증가(또는 감소)를 의미한다.

16 (　　　　　)은/는 소득의 변화율에 대한 수요의 변화율의 정도를 측정하는 척도로서, 소득이 변할 때 수요량은 얼마나 변화하는가를 측정한다. 수요량의 변화율을 소득의 변화율로 나누어 구한다.

17 (　　　　　)은/는 어느 지역이 개발된다는 정보가 공표되었을 때 부동산가격이 급등하는 현상을 가장 잘 설명해 주는 시장이다. 부동산시장이 새로운 정보를 얼마나 지체 없이 가치에 반영하는가 하는 것을 시장의 효율성이라 하고, 정보가 지체 없이 가치에 반영된 시장을 (　　　　　)이라고 한다.

18 (　　　　　)은/는 리카도(D. Ricardo)가 주장한 지대이론으로, 비옥한 토지의 공급이 제한되어 있다는 점에서 착안한다. 토지에 수확체감현상이 있기 때문에 곡물수요의 증가가 재배면적을 확대하게 되며, 토지의 비옥도와 위치에 따라 생산성의 차이가 발생한다는 점에 주목하였다.

정답　13 공급곡선　　14 수요량의 변화　　15 수요의 변화　　16 수요의 소득탄력성
　　　17 효율적 시장　　18 차액지대설

19 (   )은/는 알론소(W. Alonso)가 주장한 지대이론으로, 도심으로부터 일정한 거리에 위치한 토지들은 여러 토지이용활동들 간의 경쟁을 통해서 특정 용도로 배분되어 입지경쟁 즉 해당 토지에 대한 여러 활동들의 지대입찰과정이 일어난다는 이론이다. 가장 높은 지대를 지불하려는 활동에 해당 토지의 이용이 할당된다고 본다.

20 (   )은/는 주택이 소득의 계층에 따라 상하로 이동되는 현상을 뜻한다. 이 과정은 시간이 경과하면서 주택의 질과 주택에 거주하는 가구의 소득이 변화함에 따라 발생하는 현상이다. 주로 하향여과를 통해 연쇄적으로 공급이 된다는 특징을 가지고 있으며, 원활하게 작동하는 주택시장에서 이 효과가 긍정적으로 작동하면 주거의 질을 개선하는 효과가 있다.

21 (   )은/는 호이트(H. Hoyt)가 주장한 도시공간구조이론으로, 토지이용은 도심에서 시작되어 점차 교통망을 따라 동질적으로 확장되므로, 원을 변형한 모양으로 도시가 성장한다는 것을 그 내용으로 한다. 따라서 부채꼴 모양, 쐐기형 지대모형으로 도시의 구조를 설명한다. 이 이론은 고급주택은 교통망의 축에 가까이 입지하고, 중급주택은 고급주택의 인근에 입지하며, 저급주택은 반대편에 입지하는 경향이 있으므로, 주택지불능력이 있는 고소득층은 기존의 도심지역과 주요 교통노선을 축으로 하여 접근성이 양호한 지역에 입지하는 경향이 있다고 본다.

22 (   )은/는 해리스(C. D. Harris)와 울만(E. L. Ullman)이 주장한 도시공간구조이론으로, 도시가 성장하면 핵심의 수가 증가하고, 도시는 복수의 핵심 주변에서 발달한다는 것을 그 내용으로 한다. 이 이론은 도시는 하나의 중심지가 아니라 몇 개의 중심지들로 구성된다는 입장으로, 대도시에 적합한 이론이다. 또한 도시 토지이용의 패턴은 하나의 핵으로 구성된 것이 아니라 같은 토지 내에 여러 개의 이산(離散)되는 핵으로 구성되어 있으며, 도시성장은 분산된 핵을 따라 행해지며 핵의 형성은 입지조건에 따라 다르다고 본다.

정답 19 입찰지대설   20 주택여과과정(순환과정)   21 선형이론   22 다핵심이론

23 (   )은/는 투자로부터 예상되는 현금유입의 현가합과 현금유출의 현가합을 서로 같게 만드는 할인율을 말한다.

24 (   )은/는 융자기간 동안 원금상환액은 동일하나, 이자지급액이 점차 감소하여 원리금상환액이 점차 감소하는 상환방법이다. 시간이 지날수록 대출잔액(저당잔금)이 적어지므로 이자분은 줄어들며, 원리금은 초기에 많고 후기에 적어진다.

25 (   )은/는 원리금상환액이 매기 동일하지만 원리금에서 원금과 이자가 차지하는 비중이 상환시기에 따라 달라지는 상환방법이다. 원리금 상환액은 동일하나, 원금상환액은 점차 증가하고, 이자지급액은 점차 감소한다.

26 (   )은/는 초기에는 지불금이 낮은 수준이나, 차입자의 수입이 증가함에 따라 지불금도 점진적으로 증가하는 상환 방식이다. 경제안정기에 채무불이행 가능성이 크다는 특징이 있다. 미래의 소득증가가 예상되는 젊은 저소득자의 경우, 또 주택의 보유예정기간이 짧은 경우에 유리하다.

27 (   )은/는 저당대출기관이나 저당회사, 기타 기관투자자 등이 그들이 설정하거나 매입한 저당을 담보로 하여 발행하는 증권이다. 여러 자산 중 주택저당 대출채권을 기초로 발행된다.

28 (   )은/는 특정한 프로젝트로부터 미래에 발생하는 현금흐름을 담보로 하여 프로젝트를 수행하는 데 필요한 자금을 조달하는 금융기법이다.

정답   23 내부수익률   24 원금균등상환저당   25 원리금균등상환저당
26 체증식 융자금상환저당방법   27 주택저당증권(MBS)   28 프로젝트 파이낸싱

29 (   )은/는 지분금융방식, 부동산에 대한 간접투자상품의 일종
으로, 자산을 부동산에 투자하여 운용하는 것을 주된 목적으로 설립된 회
사이다. 주식발행을 통하여 다수의 투자자로부터 모은 자금을 부동산에
투자·운용하여 얻은 수익(부동산임대소득, 개발이득, 매매차익 등)을 투
자자에게 배당하는 것을 목적으로 한다.

30 (   )은/는 개발사업에 실제로 든 비용이 계약금액을 초과하더라
도 개발업자는 추가적인 비용을 부담하지 않는다는 유형의 계약이다.

31 (   )은/는 토지소유자가 사업기획을 하고 직접 자금을 조달하여
건설을 시행하는 민간의 부동산개발방식이다.

32 (   )은/는 토지소유자는 토지를 제공하고 개발업자는 개발의 노
하우를 제공하여 서로의 이익을 추구하는 형태로 추진하는 민간의 부동
산개발방식이다.

33 (   )은/는 토지소유자로부터 형식적인 소유권을 이전받은 신탁회
사가 토지를 개발·관리·처분하여 그 수익을 수익자에게 돌려주는 민간
의 부동산개발방식이다.

34 (   )은/는 대규모 개발사업에 있어서 사업자금의 조달 또는 상호
기술보완 등의 필요에 의해 법인 간에 컨소시엄을 구성하여 사업을 수행
하는 민간의 부동산개발방식이다.

35 (   )은/는 지역요인을 분석하는 작업으로 이는 구체적으로 인근
지역의 표준적 이용을 판단하여, 그 지역 내의 부동산에 대한 가격수준을
판정하는 작업이다.

36 (   )은/는 대상부동산의 개별적 요인을 분석하여 최유효이용을 판단하고, 대상부동산의 개별적 요인을 분석하여 대상부동산의 구체적인 가격을 판정하는 작업이다.

37 (   )은/는 대상부동산이 속한 지역으로서 부동산의 이용이 동질적이고 가치형성요인 중 지역요인을 공유하는 지역으로, 대상부동산의 가치형성에 직접 영향을 미친다. (   ) 안의 부동산은 대상부동산과 상호 대체 · 경쟁의 관계에 있고, 동일한 가격수준을 가지며, 대상부동산과 용도적 · 기능적으로 동질성을 가진다.

38 (   )은/는 대상부동산이 속하지 아니하는 지역으로서 인근지역과 유사한 특성을 갖는 지역으로, 인근지역과 용도적 · 기능적으로 동질적이며, 양 지역의 부동산은 상호 대체 · 경쟁 관계가 성립한다.

39 (   )은/는 대상부동산과 대체 · 경쟁 관계가 성립하고, 가치 형성에 서로 영향을 미치는 관계에 있는 다른 부동산이 존재하는 권역이다. 인근지역과 유사지역을 포함하고 있으므로 사례수집의 최원방권이다.

40 (   )은/는 균형(비례)의 원칙, 기여(공헌)의 원칙, 수익 배분의 원칙과 함께 부동산가격의 내부원칙을 이룬다. 부동산의 단위투자액을 계속적으로 증가시키면, 이에 따라 총수익은 증가되지만 증가되는 단위투자액에 대응하는 수익은 증가하다가 일정한 수준(한계수익의 극대점)을 넘으면 점차 감소하게 된다는 원칙이다.

41 (   )은/는 부동산가치는 최유효이용을 전제로 파악되는 가치를 표준으로 하여 형성된다는 원칙으로, 부동산가치 제 원칙 중 가장 중추적인 기능을 담당한다. 최유효이용은 부동산과 인간의 관계개선을 위한 모든 부동산활동의 행위기준으로, 부동산의 유용성이 최고로 발휘되는 사용방법을 말한다.

정답 36 개별분석   37 인근지역   38 유사지역   39 동일수급권
      40 수익체증 · 체감의 원칙   41 최유효이용의 원칙

42 (   )은/는 대상물건의 재조달원가에 감가수정(減價修正)을 하여 대상물건의 가액을 산정하는 감정평가방법이다. 부동산의 가치는 감가상각(감가수정)된 가치와 동일하다고 본다.

43 (   )은/는 대상물건의 기초가액에 기대이율을 곱하여 산정한 기대수익에 대상물건을 계속하여 임대하는 데 필요한 경비를 더하여 대상물건의 임대료(賃貸料, 사용료를 포함)를 산정하는 감정평가방법이다. (기초가액×기대이율)＋필요제경비의 값으로 적산임료를 구한다.

44 (   )은/는 대상물건과 가치형성요인이 같거나 비슷한 물건의 거래사례와 비교하여 대상물건의 현황에 맞게 사정보정(事情補正), 시점수정, 가치형성요인 비교 등의 과정을 거쳐 대상물건의 가액을 산정하는 감정평가방법이다. 비준가액은 사례가액×(사정보정치×시점수정치×지역요인 비교치×개별요인 비교치×면적)으로 구할 수 있다.

45 (   )은/는 대상물건과 가치형성요인이 같거나 비슷한 물건의 임대사례와 비교하여 대상물건의 현황에 맞게 사정보정, 시점수정, 가치형성요인 비교 등의 과정을 거쳐 대상물건의 임대료를 산정하는 감정평가방법이다. 비준임료는 사례임료×(사정보정치×시점수정치×지역요인비교치×개별요인비교치×면적)으로 구할 수 있다.

46 (   )은/는 시장·군수 또는 구청장이 절차에 따라 대상토지의 가격을 산정한 후, 시·군·구 부동산가격공시위원회의 심의를 거쳐 국토교통부장관의 확인을 받아 결정·공시한 공시기준일 현재 관할구역 안의 개별토지의 단위면적당 가격이다.

정답   42 원가법   43 적산법   44 거래사례비교법   45 임대사례비교법
46 개별공시지가

회사에 처음 입사하면,
위치가 안좋더라도 티내지 말고,
술은 따라 준 만큼만 마셔.
입이 차면 앓는 소리 하고,
회사카드는 절대 막 쓰면 안돼.
회식비 초과 시 차액은
니 카드로 계산해.

지대이론

☑ 위치지대설: 튀넨
☑ 준지대설: 마샬
☑ 입찰지대설: 알론소
☑ 절대지대설: 마르크스
☑ 차액지대설: 리카르도

부동산의 자연적 특성

☑ 개별성
☑ 인접성
☑ 부동성
☑ 부증성
☑ 영속성

개인에서
부부가 되어
영원하라

저 자신의
주택상환사채를
내놓겠습니다

부채금융

☑ 저당금융
☑ 자산유동화증권
☑ 신탁금융
☑ 주택상환사채

수요의 법칙, 공급의 법칙

☑ 가격과 수요량은 반비례 관계
☑ 가격과 공급량은 비례 관계

가수반
가공비

• 버(제)스가 옆으로 가네,
  중심에서 외곽으로.
• 둘리의 호의는 부채꼴
• 학자 두 명이라 다핵심
• 후뢰시는 비싸게(높은 수익성)
• 베버비는 수송비
  (최소비용이 낮은 곳에 입지한다)

도시구조, 입지

☑ 버제스 동심원설
☑ 호이트 선형이론
☑ 해리스와 울만의 다핵심이론
☑ 뢰쉬의 최대수용이론
☑ 베버의 최소비용이론

부동산의 경기변동

☑ 부동산의 장기적 경기변동은 일반경기의 장기적 변동에 비해 짧다.
☑ 부동산의 경기변동은 일반경기 변동보다 길다.

부(부동산의)
장(장기적 경기변동)
님 다리는 (일반경기의
장기적 변동에 비해)
짧다.

만화로 쉽게 이해하는 공인중개사

에듀윌 공인툰

SUBJECT 02

민법 및 민사특별법

민법 및 민사특별법은 개인들 사이에 생기는 법적 다툼을 해결하기 위한 법을 공부하는 과목입니다. 민법은 모든 법 과목의 기초가 됩니다.
공부할 내용은 많지만, 제도를 확실히 이해하고 나면 다양한 내용에 적용할 수 있습니다.

01 민법이란

열심히 공부를 계속하던 윤득 씨에게 친한 동생 지석 씨가 전화를 걸어왔다. "형님, 카페 창업을 하고 싶은데 부동산 거래와 법률문제가 너무 어려워요. 도와주실 수 있으세요?" 기쁜 마음으로 동생을 돕기로 한 윤득 씨는 매물 탐방에 앞서 민법에 대해 공부하는 시간을 가졌다.

법률관계는 공법관계와 사법관계로 나뉜다. 공법은 국가와 개인 사이의 관계 및 공공단체 상호 간의 관계를 규율하는 법이며, 사법은 개인 간의 법률관계를 규율하는 법이다.

법률관계의 구성

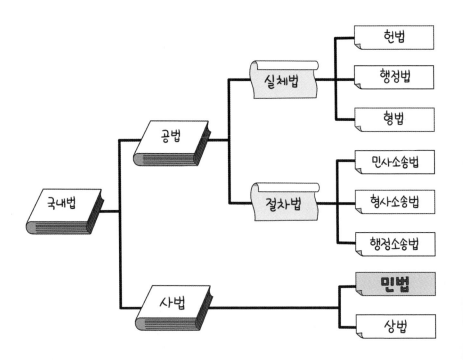

민법은 사법에 속하며, 재산법과 가족법으로 구성되어 있다. 그중 재산법은 물권법과 채권법으로 나뉜다. 물권은 물건을 직접 지배해서 이익을 누리는 권리로, 당사자가 직접 그 물건을 사용수익하면 되므로 이행의 문제를 남기지 않는다. 반면, 채권이란 타인에게 요구하는 청구권이기에 이행의 문제를 남기게 된다.

민법의 구성

재산법

재산권 보호와 안전한 거래를 위해 재산법이 필요하지.

가족법

친족법과 상속법이 있지만, 공인중개사 시험범위에는 포함되지 않아.

물권법

돈을 갚지 않으면, 내가 직접 경매해서 돈 받아갈 거야!

채권법

빨리 돈을 갚아 채무를 이행하세요!

채권자

채무자

02 의사와 표시의 불일치

윤득 씨의 친한 동생 지석 씨가 카페 자리로 특정 상가를 임대하고 싶다면(=의사), 계약금을 지불함으로써 임대 의사를 표시할 것이다(=표시). 이때 지석 씨의 행위는 의사와 표시가 일치하기에 유효한 법률행위가 된다. 반면, 의사와 표시가 불일치하는 경우에는 유효한 법률 행위로 인정받지 못한다. 그중 하나로, 표의자가 진의가 아닌 것을 표시한 경우인 '비진의표시'가 있다.

비진의표시

상대방의 환심을 사기 위해서 자기 부동산을 증여하겠다는 A씨.

나를 형님으로 모시면 이 건물을 줄게.

비진의표시도 원칙적으로 유효하다.

좋아, 형님으로 모실게. 이 건물 내가 소유권 취득할 수 있는 거지?

어? 큰일인데!!

다만, 상대방이 표의자의 진의 아님을 알았거나 알 수 있었을 때는 무효다.

진의가 아닌 거 알고 있었잖아. 무효야. 돌려줘!

이런, 좋다 말았네!!

그러나 무효인데도 다시 이해관계를 맺은 제3자가 선의이면 무효를 주장할 수 없다.

내 것이 아니지만 팔자.

난 비진의로 무효등기인 걸 몰랐어. 내 거야.

매매계약서

그리고 표의자와 상대방 모두가 의사와 표시가 불일치하는 것을 알면서도, 서로 합의(양해)하여 허위의 의사를 표시하는 '통정허위표시'가 있다. 통정허위표시는 당사자 사이에서는 언제나 무효이다. 그러나 제3자에 대한 관계에서는 다르게 나타난다. 통정허위표시는 원칙적으로 무효이지만 그로써 선의의 제3자에게 대항할 수는 없다.

통정허위표시

채권자 갑이 강제집행을 피하고자 친구 을과 공모하여 허위로 매매하고 소유권이전등기 하는 경우,

내 아파트를 잠시 숨겨야겠어. 매매하는 척하고 잠시 맡아줘.

채권자

좋아. 하지만 우린 실제로 매매하지 않을 거야.

둘 사이의 통정한 매매는 무효이다.

매매계약서

그러나 을이 해당 매물을 병에게 매도한 경우에는

보세요, 이거 제 아파트예요. 사실래요?

좋아요, 살게요.

선의의 제3자(병)의 보호를 위해 돌려달라고 할 수 없다.

그건 사실 제 아파트예요!

전 허위매매인 걸 몰랐으니, 제 아파트예요!

또한, '착오로 인한 의사표시'가 있다. 현행 민법은 이에 대해 취소주의를 따르고 있기에, 법률행위 내용의 중요부분에 착오가 있는 때에는 취소할 수 있다. 중요부분인가의 여부는 주관적·객관적 기준에 따라, 구체적 사정에 따라 결정된다. 단, 착오한 자에게 중대한 과실이 없어야 하며, 이 경우 선의의 제3자에게 대항하지 못한다.

착오로 인한 의사표시

착오로 인한 의사표시는 의사와 표시가 불일치한 것을

호수공원 앞 부지가 앞으로 유망하대!

그래?

표의자가 모르고 있는 경우에 발생한다.

땅값

친구가 추천한 땅이 여기였어? 난 엉뚱한 곳을 샀잖아!

법률행위의 중요한 부분을 착오한 경우, 해당 계약을 취소할 수 있다.

중요부분에 해당하는 매매 목적물 동일성을 착오했으니, 취소해 주세요.

매매 전 토지대장은 확인하셨나요?

단, 착오한 자에게 중대한 과실이 없어야 한다.

바빠서 확인하지 못했어요.

그건 중대한 과실입니다. 해당 매매는 취소할 수 없어요.

03 대리제도

"창업 교육 때문에 바빠서 직접 부동산을 알아보기 어려워요. 대리인을 선임하면 어떨까요?" 지석 씨의 고민에 윤득 씨가 조언해 주었다. "대리제도란 본인이 타인을 통해 법률행위를 하고, 그 효과는 직접 자신이 받는 제도야. 이때 대리인이 본인의 이름으로 법률행위를 하지만, 그 효과는 모두 본인에게 귀속되지."

대리제도의 의미

"모든 대리인은 법정대리인인가요?" 지석 씨가 물었다. "그렇지 않아. 법정대리란 법률에 따라 대리권이 발생하는 것으로, 친권자나 후견인 등이 해당해. 반면, 본인 스스로가 대리인이 될 자를 지정하여 대리권을 수여하는 경우는 임의대리라고 하지." 윤득 씨가 답했다.

"대리행위에 주의할 점이 있을까요?" 지석 씨의 질문이 이어졌다. "대리인은 상대방에게 대리인이라는 사실을 반드시 표시해야 한다는 점, 의사결정은 대리인이 하더라도 권리의무는 본인에게 귀속된다는 점을 꼭 기억해야 해." 윤득 씨가 말했다.

대리행위

윤득 씨의 설명이 이어졌다. "또 여러 명의 대리인을 선임할 수도 있어. 이 여러 명의 대리인을 공동대리라고 해. 또한, 대리인이 자신의 이름으로 본인의 대리인을 선임할 수도 있는데, 이를 복대리라고 하지. 복대리인은 대리인의 대리인이 아니라 본인의 대리인이므로, 대리행위를 할 때는 본인의 이름으로 해야 해."

공동대리와 복대리

공동대리를 하면 여러 명의 대리인이 상호 견제하에 신중한 의사결정을 할 수 있다.

이때 대리인 각자가 본인을 대리하는 각자대리가 원칙이다.

대리인은 자신의 이름으로 본인의 대리인, 즉 복대리인을 선임할 수 있다.

그러나 임의대리인은 본인의 승낙이나 부득이한 사유가 있는 경우에만 복대리인을 선임할 수 있다.

"대리인이 계약을 잘못하면 책임도 대리인이 지는 거죠?" 지석 씨가 물었다. "대리인이 대리권 범위를 넘는 행위를 하더라도, 일정한 경우에는 본인이 책임을 져야해. 이런 경우를 표현대리라고 하지." 윤득 씨의 대답에 지석 씨는 깜짝 놀라 말했다. "대리인이 한 계약도 꼼꼼하게 확인해야겠네요!" 윤득 씨는 고개를 끄덕였다.

표현대리

대리인이 대리권 범위를 넘는 행위를 하는 경우, 본인에게도 그 행위에 대한 책임이 있다.

대리인에게 그 권한이 있다고 믿는 상대방을 보호하기 위해서이다.

상대방이 선의·무과실이면 본인은 책임을 져야 한다.

그러나 대리권 없는 자가 인감 등을 위조한 경우에는 본인은 책임을 지지 않는다.

04 계약의 무권대리

"대리권이 없는 사람이 무단으로 계약을 체결하면 어떻게 되나요?" 지석 씨가 물었다. "그런 경우를 계약의 무권대리라고 해. 이 경우에는 본인에게 책임을 물을 수 없지. 그러나 본인의 판단하에, 자신에게 유리한 경우 해당 계약을 인정할 수도 있는데, 이를 추인이라고 해." 윤득 씨가 답했다.

계약의 무권대리와 추인

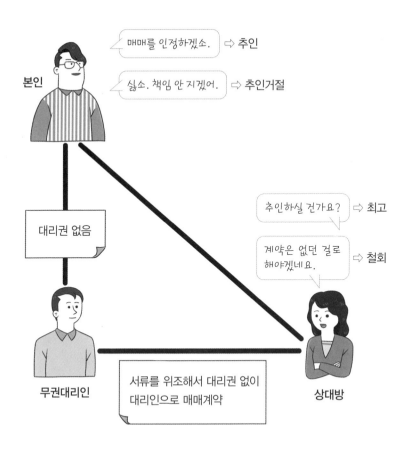

무권대리 행위는 무효이지만, 본인이 계약을 추인하면 그 효과가 발생한다.

대리권을 준 적은 없지만, 좋은 가격으로 팔았으니 이 계약을 추인하고 싶어!

추인은 상대방이나 무권대리인에게 할 수 있다.

무권대리인이 한 매매를 인정합니다.

당신이 한 매매를 인정합니다.

상대방

무권대리인

단, 일부추인이나 변경을 가한 추인은 상대방이 동의하지 않는 한 무효이다.

대리인이 토지와 건물을 일괄매매했지만, 건물만 추인할래요.

그건 안 됩니다!

상대방

추인은 명시적으로 할 수 있지만, 상대방에게 매매대금을 받는 경우 등은 묵시적으로 추인한 것으로 본다.

여기 계약금 받으세요.

네, 매매는 확정 유효입니다.

본인이 추인을 거절하면 매매는 확정 무효가 된다.

저는 이 매매를 인정할 수 없어요.

아쉽네요.

그러나 본인이 사망하고 무권대리인이 그 상속을 받은 경우, 상대방은 확정적으로 권리를 취득한다.

아버님이 돌아가셔서 제가 모두 상속받았어요.

이제 토지와 건물은 확실히 내 것이군!

무권대리인

윤득 씨가 설명을 계속했다. "물론, 본인이 추인을 거절할 수도 있어. 이 경우 매매는 확정 무효가 되는 거지." "무권대리의 경우 상대방은 무엇을 할 수 있나요?" 지석 씨가 물었다. "상대방은 본인에게 해당 계약을 추인할 것을 촉구할 수 있는데, 이를 최고라고 해. 또 상대방은 대리인이 무권대리인이라는 사실을 알았을 경우, 즉시 계약을 무효로 할 수도 있어. 이를 철회라고 하지." 윤득 씨가 설명했다.

상대방의 최고와 철회

상대방은 본인에게 추인할 것을 촉구할 수 있다. 이를 '최고'라고 한다.

무권대리인이 한 이 계약은 어떻게 할 건가요? 10일까지 연락 주세요.

상대방

본인

그 기간 동안 의사표시가 없는 경우, 추인을 거절한 것으로 본다.

이 매매는 무효가 되었구나.

나중에 대리권이 없는 대리인이라는 사실을 안 경우, 계약을 취소할 수 있다. 이를 '철회'라고 한다.

대리권이 없는 사람이 계약을 체결하다니! 이건 무효예요.

본인이 추인하지도 않고 상대방이 철회하지도 않는 경우, 무권대리인이 상대방에게 책임을 져야 한다.

손해배상 하세요!

무권대리인

네, 알겠습니다.

05 유동적 무효

지난 주말, 윤득 씨는 지석 씨의 카페 자리로 적합한 토지를 발견했다. 그러나 해당 토지는 토지거래허가구역이었다. 토지거래허가구역 내의 토지를 매수하기 위해서는 허가를 받아야 하며, 허가를 받지 않은 매매는 무효이다. 이때, 허가를 받을 것을 전제로 매매하는 경우는 확정무효가 아닌 '유동적 무효'라고 한다.

유동적 무효

유동적 무효 상태에서는 해당 계약의 효력이 없다고 본다. 따라서 계약 당사자들 역시 채무 이행에 대한 의무를 지지 않으므로 채무 불이행을 이유로 계약을 해제할 수 없다. 다만, 해약금을 내고 계약을 해제하는 것은 가능하다.

유동적 무효 상태에서 계약 당사자 사이에 허가신청에 협력할 의무는 인정된다. 상대방이 협력 의무를 이행하지 않은 경우에는 손해배상도 청구할 수 있다. 그러나 이를 이유로 계약 해제는 할 수 없다.

유동적 무효 상태에서의 쟁점

유동적 무효란 장차 허가받을 것을 전제로 매매한 경우이다.

일단 계약하고 중도금 지급받은 후 허가 받지요.

좋습니다.

처음부터 허가 규정을 배제 · 잠탈할 목적으로 하는 경우는 확정적 무효이다.

저는 허가 요건이 안 되니까 다른 사람 명의로 하지요.

무효

유동적 무효 상태에서 대금 지급이나 소유권이전등기 등의 의무는 없다.

허가받기 전까진 무효니까, 의무도 없어.

토지거래계약서

허가 전에는 중도금을 지급하기로 하는 등의 특약도 효력이 없다.

허가받기 전이니 특약들도 무효네!

단, 토지거래허가 신청 절차에 협력할 의무는 있다.

허가 신청할 테니 협력해 주시죠.

네, 그건 의무죠.

만약 상대방이 협력 의무를 이행하지 않는다면 소송할 수 있다.

상대방이 협력하지 않아요.

이행 청구와 손해배상 청구를 할 수 있습니다.

변호사

토지거래허가구역 내 토지와 건물을 일괄매매한 경우, 허가받기 전에는 건물매매 계약도 무효이다.

이런! 건물매매 계약까지 무효이군.

매매계약서

따라서 허가받기 전에는 건물이전등기 의무도 없다.

건물만이라도 먼저 등기하겠습니다.

허가받기 전까지는 안 됩니다.

등기과

그러나 유동적 무효 상태에서라도 해약금 해제는 할 수 있다.

배액상환하고 해제합니다.

100100

그 외 착오나 사기·강박 등에 의한 경우도 취소할 수 있다.

아, 제가 착오가 있었습니다. 취소해 주세요.

해당 계약은, 거래 허가를 받으면 확정적 유효가 되고, 불허가를 받으면 확정적 무효가 된다. 만일 허가받기 전에 토지거래허가구역의 지정기간이 만료되거나 지정이 해제된다면 확정적 유효가 된다.

계약의 확정적 유효와 무효

거래 허가를 받으면 해당 계약은 확정적으로 유효가 된다.

계약은 소급하여 유효하게 되므로 새로 계약을 체결할 필요가 없다.

불허가를 받았다면 매매계약은 확정적 무효가 된다.

쌍방이 허가신청을 하지 않기로 의사를 표시한 경우에도 확정무효가 된다.

허가받기 전 토지거래허가구역 지정기간이 만료되면 확정 유효이고,

토지거래허가구역 지정이 해제되어도 확정 유효가 된다.

06 법률행위의 조건

윤득 씨는 지석 씨가 바리스타 자격시험에 합격하는 조건으로, 투자금을 일부 보태 주기로 약속했다. 이때 조건이란 법률행위 효력의 발생 또는 소멸을 장래의 불확실한 사실에 의존하게 하는 법률행위의 부관이다. 법률상 유효한 조건에는 정지조건과 해제조건이 있다.

정지조건과 해제조건

정지조건이란 조건이 성취되면 발생되는 조건이다.

이 경우, 합격이 정지조건이 된다.

해제조건이란 조건이 성취되면 효력을 소멸시키는 조건이다.

이 경우, 3.0 아래의 학점이 해제조건이다.

"모든 조건이 법률상 유효한가요?" 지석 씨가 묻자, 윤득 씨는 고개를 저었다. "법률행위 당시에 이미 성립되어 있었던 기성조건, 조건의 성취가 객관적으로 실현 불가한 불능조건은 각각 정지조건과 해제조건으로서만 유효해. 또한, 반사회적 행위에 해당하는 불법조건은 인정받을 수 없지."

기성조건·불능조건·불법조건

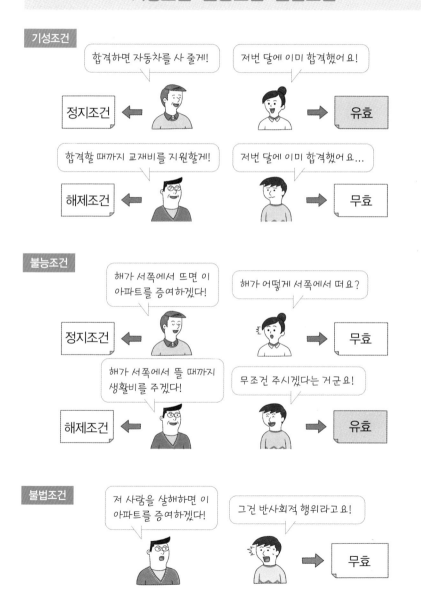

윤득 씨가 답했다. "그리고 혼인, 이혼, 인지, 입양 등 가족법상 행위나 어음·수표 행위에는 조건을 붙일 수 없어. 조건을 붙일 수 없는 법률행위에 조건을 붙이면 무효가 되지. 또한 추인, 해제, 취소, 상계 등의 단독행위에도 원칙적으로 조건을 붙일 수 없어. 다만, 상대방이 동의하거나 이익만 주는 경우, 상대방이 결정할 수 있는 사실을 조건으로 하는 경우에는 조건을 붙일 수 있지." 그리고 윤득 씨가 웃으며 덧붙였다. "한 가지 더, 민법에서는 조건의 성취·불성취에 대한 반신의행위를 금지하고 있어."

조건의 성취·불성취에 대한 반신의행위

만약 조건의 성취로 불이익을 받을 당사자가

영수가 시험에서 만점을 받으면 이 태블릿 PC를 주기로 했는데, 좀 아까운걸!

신의성실에 위반하여 조건의 성취를 방해한 때에는,

시험 전

이거 마시고 파이팅!

수면제 탄 음료수야!

상대방은 그 조건이 성취한 것으로 주장할 수 있다.

네가 방해하지 않았으면 만점 받을 수 있었어. 태블릿 PC 내놔!

조건이 성취되는 경우 그때부터 효력이 발생한다. 즉, 원칙적으로 소급효가 없다.

이제 이 태블릿 PC는 내 거야!

07 물권의 종류

돌아온 월요일 아침, 윤득 씨는 학원으로 향했다. 교수는 물권을 주제로 강의를 시작했다. "물권은 물건을 직접 지배하여 이익을 얻을 수 있는 권리입니다. 민법상 물권에는 점유권과 소유권, 용익물권에 해당하는 지상권, 지역권, 전세권, 담보물권에 해당하는 유치권, 질권, 저당권까지 총 8개가 있습니다. 점유권을 제외한 나머지 7개의 물권을 본권이라고 합니다. 이 가운데 질권은 공인중개사 시험범위에 포함되지 않습니다."

물권의 종류

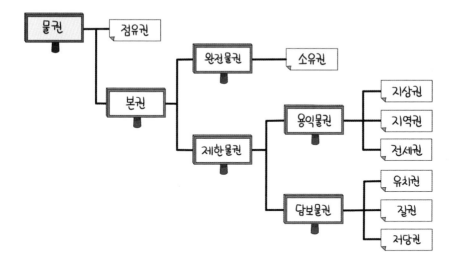

▼ ONE POINT

용익물권은 타인의 부동산을 사용·수익해서 이익을 누리는 권리를 말하고, 담보물권은 일정한 물건을 채권 담보로 사용하는 것을 목적으로 하는 물권을 말한다.

"점유권이란 물건을 점유할 정당한 권리가 있는지와 관계없이 물건을 사실상 지배하면 무조건 인정되는 권리입니다." 교수가 강의를 이어갔다. "반면, 본권은 점유하는 것을 법률상 정당하게 하는 권리입니다. 본권 중 소유권은 물건을 지배하여 사용·수익도 하며, 이를 처분할 수도 있는 권리입니다. 두 권리를 모두 가지고 있기에 완전물권이라고도 합니다."

점유권과 소유권

점유권

소유권

강의가 계속됐다. "용익물권에는 세 가지가 있습니다. 먼저, 지상권이란 타인의 토지에 건물이나 수목, 기타 공작물을 소유하기 위해 그 토지를 사용할 수 있는 물권입니다. 지역권이란 일정한 목적을 위해 타인의 토지를 자기 토지의 편익에 이용하는 물권이지요. 전세권은 전세금을 지급하고 타인의 부동산을 용도에 좇아 사용·수익하는 권리입니다."

용익물권

지상권

음식점을 신축하기 위해 당신의 토지를 사용하고 싶어요.

좋아요. 지료만 주세요.

지역권

그러면 지역권이 필요한 김 씨의 토지는 요역지, 지역권의 객체가 되는 제 토지는 승역지가 되겠군요.

이 씨의 땅 (승역지) | 김 씨의 땅 (요역지) | 박 씨의 땅

김씨

제 토지가 맹지여서, 이 씨의 토지를 통행할 권리가 필요해요.

이씨

전세권

전세권이 소멸하면 전세금의 우선변제를 받을 수 있겠죠?

제 아파트를 5억 원 전세로 계약하겠습니다.

전세권자

"끝으로, 담보물권을 볼까요? 유치권이란 타인의 물건을 점유한 자가 그 물건에 생긴 채권이 있는 경우, 채권을 변제받을 때까지 유치한 물건의 인도를 거절할 수 있는 권리입니다. 저당권이란 채무의 담보로 제공된 부동산에 대해서 채무의 변제가 없는 경우에, 그 부동산에서 채권을 우선변제받을 수 있는 물권입니다." 교수가 설명을 마쳤다.

담보물권

유치권

수리해 주신 자동차 찾으러 왔습니다.

수리비를 지급하셔야 가져가실 수 있습니다.

저당권

제 아파트를 담보로 대출해 주세요.

돈을 갚지 못하시면 아파트를 경매하여 저희가 변제를 받게 됩니다.

08 중간생략등기

이번 강의 주제는 중간생략등기이다. "중간생략등기란 예컨대 갑의 부동산을 을이 매수한 후 자기명의로 등기하지 아니하고 병에게 전매하여, 을의 등기는 생략한 채 갑에서 병으로 소유권이전등기를 하는 것을 말합니다." 교수가 설명을 시작했다.

중간생략등기

소유권이전
(소유자 갑 → 소유자 병)

갑 —부동산매매→ 을 —미등기전매→ 병

등기부
갑
병

을의 등기 생략

▼ ONE POINT
「부동산등기 특별조치법」에는 미등기 전매를 처벌하도록 되어 있으나, 처벌 과는 별개로 대법원은 개인 간의 중간 생략등기는 유효한 것으로 본다.

"중간생략등기에 관한 당사자 전원의 묵시적·순차적 합의가 있는 경우, 등기는 유효한 것으로 인정됩니다. 또한, 중간생략등기가 이미 이루어진 경우에는 합의 여부를 불문하고 유효한 등기로 인정됩니다. 단, 토지거래허가구역 내의 토지는 전원의 합의가 있어도 중간생략등기는 무효이니 주의해야 해요." 교수가 강조했다.

중간생략등기의 유효와 무효

설명이 이어졌다. "최종양수인이 최초양도인에게 직접 그 소유권이전등기 청구권을 행사하기 위해서는 관계 당사자 전원의 의사합치가 있어야 합니다. 순차합의하는 경우에는 반드시 최초양도인과 최종양수인 간의 합의가 필요하죠. 합의가 없는 경우 최종양수인은 직접 소유권이전등기를 청구할 수 없습니다."

"또한 중간생략등기의 합의가 있었더라도 중간매수인의 소유권이전등기청구권, 최초매도인의 소유권이전등기의무가 소멸되지는 않습니다. 따라서 합의가 있은 후에 최초매도인과 중간매수인 간에 매매대금을 인상하는 약정이 체결된 경우, 최초매도인은 인상된 매매대금이 지급되지 않았음을 이유로 소유권이전등기의무의 이행을 거절할 수 있습니다." 교수가 설명을 마쳤다.

중간생략등기 합의가 없는 경우

중간생략등기 합의가 없는 경우, 최종양수인은 단지 중간자를 대위하여 최초양도인에 대해 중간자 앞으로 이전등기를 청구할 수 있을 뿐,

중간자 을에게 등기해 주세요.

직접 자기 명의로의 소유권이전등기를 청구할 수는 없다.

최종양수인인 제게 바로 등기해 주세요!

거절합니다.

최종양수인이 중간자로부터 소유권이전등기청구권을 양도받았다 하더라도,

제가 소유권이전등기청구권을 양도해 드릴게요.

최초양도인이 그 양도에 대하여 동의하지 않고 있다면, 최종양수인은 직접 소유권이전등기절차이행을 청구할 수 없다.

제가 소유권이전등기청구권을 양도받았으니, 등기절차를 이행해 주세요!

아뇨, 저는 그 양도에 동의하지 않습니다.

09 부동산소유권 시효취득

누군가 무권리자임에도 일정 기간 부동산을 점유하면, 그 사람은 해당 부동산 소유권을 취득하게 된다. 이는 '부동산소유권 시효취득'이라 불리는 민법상의 제도이다. 선뜻 납득하기 어려운 내용에, 윤득 씨는 교수를 찾아가 보충 설명을 부탁했다. 교수는 친절하게 시효취득에 관해 설명해 주었다.

부동산소유권 시효취득

"점유취득시효는 토지를 20년간 소유의 의사로 평온·공연하게 점유한 경우 소유권 취득이 가능한 것을 의미합니다. 등기부취득시효는 소유자로 등기한 자가 토지를 10년간 소유의 의사로 점유한 경우, 소유권 취득이 가능한 것을 의미하죠." 교수는 차근차근 알려주었다.

점유취득시효와 등기부취득시효

취득시효를 통하여 소유권을 취득하려면 소유의 의사로 점유하여야 한다.

저는 임차인으로 점유했어요.

인정 안 됩니다!

토지를 점유할 권원이 없고, 이를 알면서도 점유한 경우에는 인정하지 않는다.

남의 토지를 권한도 없이 불법으로 점유했으니 인정할 수 없어요!

1필 토지 일부도 시효취득할 수 있고, 국유재산 중 일반재산(종전 잡종재산)도 시효취득할 수 있다.

담장 안의 토지는 제가 20년간 점유했으니 제 겁니다!

내 토지가 넘어갔는데….

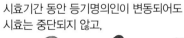

시효기간 동안 등기명의인이 변동되어도 시효는 중단되지 않고,

등기명의인

갑   을   병

최종등기명의인에게 시효취득을 주장할 수 있다.

제가 소유권을 취득했습니다!

등기부취득시효의 경우 점유와 등기의 승계가 인정되며,

전 명의자의 등기기간까지 포함해서 10년입니다!

선의이며 무과실로 그 부동산을 점유하여야 한다.

제 점유의 무과실을 입증하겠습니다.

등기부취득시효에서의 등기는 적법 유효할 필요가 없고,

부동산을 매수하여 이전등기를 하였으나 이 등기가 무효네!

무효등기라도 무방하다.

그래도 10년이면 소유권취득이 가능하니 안심해!

취득시효로 인한 권리취득의 효과는 점유를 개시한 시점에 소급한다.

그럼 그동안 점유한 것에 대한 사용료를 주세요!

원소유자

따라서 점유자가 취득시효기간 동안에 얻은 과실, 기타의 이익은 정당한 권원에 의하여 얻은 것이 된다.

천만에요. 점유한 때부터 제 것이었는데요!

시효취득자

"취득시효완성 전후로는 복잡한 법률관계가 얽히곤 합니다. 여러 사례를 정확히 숙지할 수 있도록 꼼꼼하게 살펴보세요." 교수는 자료들을 윤득 씨에게 건네주며 격려를 아끼지 않았다.

취득시효완성 전후의 법률관계

시효완성을 이유로 소송 계속 중 상대방의 소유를 인정하고 소를 취하한 경우, 시효이익을 포기한 것으로 본다.

시효완성 후 등기명의인이 부동산을 제3자에게 처분한 경우, 제3자를 상대로 시효취득을 주장하지 못한다.

시효완성 후 부동산에 원소유자가 저당권을 설정한 경우, 시효취득자는 저당권이 있는 상태로 소유권을 취득한다.

시효완성 후 부동산이 압류된 경우, 시효취득자는 압류채권에 대항하지 못한다.

10 부동산의 공유

지석 씨는 지인과의 공동 창업도 고려하고 있지만, 부동산 등 지분 공유 문제가 마음에 걸린다. 지석 씨는 윤득 씨에게 조언을 구했다. "지분이란 각 공유자가 목적물에 가지는 소유의 비율을 말해. 이 지분에 의하여 여러 사람이 하나의 물건을 공동으로 소유하는 것을 공유라 하지." 윤득 씨가 설명을 시작했다.

공유의 개념

"이때 공유자 사이에서는 공유물의 사용·수익, 관리·보존, 처분·변경을 비롯하여 공유물의 부담과 관련한 내부관계가 발생할 수 있어. 그러면 공유자들은 지분을 바탕으로 내부관계에서 발생하는 문제들을 해결하지." 윤득 씨가 말했다.

공유자의 내부관계

공유자는 공유물 전부를 지분의 비율에 따라 **사용·수익**한다.

공유물을 900만 원에 임대한 경우, 지분비율대로 1/3씩 임대료를 배분하여 각자 300만 원씩 가진다.

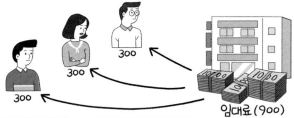

보존 행위는 각자가 할 수 있다. 그러나 **관리행위**(=이용개량)는 지분의 과반수로 결정한다.

처분·변경 행위는 공유자 전원의 동의가 있어야 한다.

지분의 비율로 공유물의 관리비용 기타 의무를 **부담**한다.

공유자가 1년 이상 의무이행을 지체한 때에는, 다른 공유자는 상당한 가액으로 지분을 매수할 수 있다.

"만일 제3자가 공유물을 침탈·방해하는 경우에는 어떻게 하나요?" 지석 씨가 물었다. "그럴 때는 공유자 각자가 단독으로 공유물 전부의 반환·방해제거를 청구할수 있지. 공유물에 대한 불법행위를 이유로 하는 손해배상 내지 부당이득반환청구는 각 공유자가 지분비율로 행사할 수 있어." 윤득 씨가 대답했다.

"한번 공유한 물건은 계속 공유해야 하나요?" 지석 씨의 물음에 윤득 씨는 고개를저었다. "공유자는 언제든지 공유물의 분할을 청구할 수 있고, 각 공유자는 이에 응해야만 해. 단, 공유자는 5년 내에 분할하지 않을 것을 특약할 수 있어."

공유물의 분할

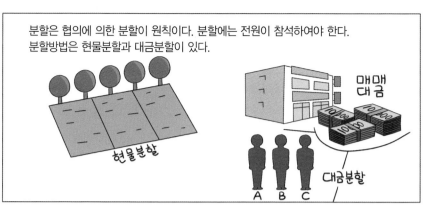

분할은 협의에 의한 분할이 원칙이다. 분할에는 전원이 참석하여야 한다.
분할방법은 현물분할과 대금분할이 있다.

현물분할

매매대금

대금분할

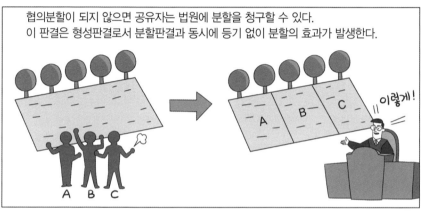

협의분할이 되지 않으면 공유자는 법원에 분할을 청구할 수 있다.
이 판결은 형성판결로서 분할판결과 동시에 등기 없이 분할의 효과가 발생한다.

이렇게!

합유와 총유

수인이 조합체로서 물건을 소유하는 경우를 **합유**라고 한다.

우리 딸기영농조합을 결성합시다!

그럼 조합의 재산은 **합유**가 됩니다.

법인이 아닌 교회·종중 등 사단의 사원이 집합체로서 물건을 공동소유하는 경우는 **총유**라고 한다.

여기에는 지분이 없습니다.

사용수익만 존재하죠.

11 관습법상 법정지상권

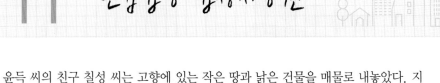

윤득 씨의 친구 칠성 씨는 고향에 있는 작은 땅과 낡은 건물을 매물로 내놓았다. 지석 씨가 이를 보고 칠성 씨의 부동산을 매수할까 고민하고 있다. 이때 지석 씨가 칠성 씨의 건물만 매수한다면, 건물소유주인 지석 씨는 토지에 관습법상 법정지상권을 취득하게 된다.

관습법상 법정지상권의 개념

관습법상 법정지상권은 동일한 소유자에게 속하던 토지와 건물 중 어느 하나가 매매등으로 소유자가 다르게 된 경우, 건물소유자가 취득하게 되는 지상권을 말한다. 이는 당사자의 의사와 관계없이 법률 규정에 따라 당연히 인정되는 권리이다.

약정 지상권과 관습법상 법정지상권

관습법상 법정지상권을 인정하는 이유는 무엇일까? 바로 토지와 건물의 소유자가 다른 경우, 토지소유자의 마음대로 건물을 철거할 수 없도록 하기 위해서이다. 단, 계약 당사자 사이에 건물을 철거한다는 특약이 있다면, 법정지상권은 인정되지 않는다.

관습법상 법정지상권의 성립 요건

관습법상 법정지상권이 성립하기 위해서는 처분 당시에 동일 소유자이어야 하고,

땅도 집도 다 내 것!

토지와 건물 중 어느 하나가 매매 등의 사유로 소유자가 달라져야 한다.

갑 / 을 / 건물만 매매

와! 토지에 지상권을 취득했다! / 토지에 지상권 획득

건물이 존재한다면 미등기건물이나

미등기

소유자 갑

무허가건물의 경우에도 성립한다.

무허가

소유자 갑

달라지는 원인은 묻지 않는다. 매매뿐만 아니라 증여나

건물 증여 / 지상권 획득

강제경매, 공매 등도 포함된다.

건물만 경락받아도 괜찮을까?

응, 지상권 인정돼.

그러나 계약 당사자 사이에 건물을 철거한다는 특약이
있으면 인정되지 않는다.

법정지상권 성립 후 멸실된 건물을 신축하는
경우에도

법정지상권은 여전히 인정된다.

지료의 지급은 당사자 사이의 협의로 정하고 안 되면 법원의 결정에 의한다.
이때 지상권설정자는 지상권자가 2년 이상 지료를 체납하면
지상권의 소멸을 청구할 수 있다.

12 유치권

다른 매물을 찾아 나선 지석 씨는 '유치권 행사 중'이라 쓰인 현수막이 달린 건물을 발견했다. "유치권이 뭔가요?" 지석 씨가 물었다. "타인의 물건을 점유한 자가 그 물건에 관한 채권을 가지고 있는 경우, 채권을 변제받을 때까지 그 반환을 거절할 수 있는 권리를 말해." 윤득 씨가 답했다.

유치권의 개념

타인의 물건을 점유하는 자는(자동차 점유), 그 물건에 관하여 채권이 생긴 경우(자동차 수리비), 그 채권을 변제받을 때까지 해당 물건을 유치할 수 있는 권리가 있다.

"아직 채권을 변제받지도 못했는데 먼저 물건을 인도하면, 나중에 변제를 받기 어려울 수도 있겠지? 그래서 공평의 원칙에 기하여 유치물의 반환을 거절할 수 있는 유치권을 인정하는 거야. 유치권은 채무이행을 간접적으로 강제하는 역할을 하지." 윤득 씨가 설명을 이어갔다.

유치권의 성립 요건

채권이 유치물에 관하여 발생한 것이어야 한다(견련성).

견련성은 '관하여 생긴' 이라는 의미!

건물을 수리한 경우, 그 수리비에 대해서 유치권이 인정된다.

견련성 인정 → 공사비 수리비 필요비 유익비

목적물을 적법하게 점유해야 하며, 출입문을 봉쇄하거나 현수막을 설치하는 간접 점유도 가능하다.

유치권 행사중

못 나가!!!

유치권 배제의 특약이 없어야 성립한다.

공사비는 분양 후에 꼭 드릴게요.

네, 그럼 유치권 행사하지 않기로 약정하죠.

▼ ONE POINT

임대차 관계 종료 시 건물을 원상으로 복구하여 임대인에게 명도하기로 약정한 것은 비용 상환 면책 특약으로, 이는 유치권 배제 특약에 해당한다. 따라서 이 경우에는 유치권을 포기한 것으로 본다.

"보증금이나 권리금 등에도 유치권을 행사할 수 있나요?" 지석 씨의 질문에 윤득 씨는 고개를 저었다. "보증금이나 권리금은 건물 자체에서 발생한 채권이 아니기 때문에 견련성이 인정되지 않아. 따라서 유치권을 행사할 수 없어."

유치권과 견련성

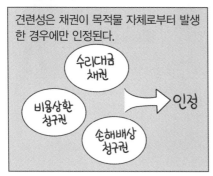

"그밖에 유치권자는 채권 변제를 위한 경매권, 과실수취권, 유치물사용권, 비용상환청구권 등을 가지지. 단, 유치물 사용은 보존에 필요하거나 채무자의 승낙을 받아야 하며, 그렇지 않은 경우 유치권의 효력이 상실될 수 있어." 윤득 씨가 덧붙였다.

유치권의 소멸

유치권자의 의무위반에 대해,

렌트비라도 받아야겠어.

유치권자

채무자는 유치권 소멸을 청구할 수 있다.

내 자동차를 함부로 빌려주다니! 자동차 돌려줘요.

채무자

채무자는 다른 담보를 제공하고 유치권 소멸을 청구할 수 있다.

자동차가 필요한데 대신 이걸 맡기면 안 될까요?

할 수 없죠. 빨리 갚으세요.

유치권자가 점유를 상실하면 유치권도 소멸된다.

빨리 내보내야 유치권이 소멸되는데…….

한 발자국도 못 나가!

채권전액이 변제되면 유치권은 소멸한다.

여기 비용 전액입니다.

진작 그러시지. 나가겠습니다.

13 저당권

어느덧 공인중개사 1차 시험일이 다가오고 있다. 윤득 씨는 각오를 다지며 학원으로 향했다. "저당권이란 채무자가 돈을 빌리고 나중에 변제하지 않을 것을 대비하여 채권자가 부동산에 담보를 설정하여 자기채권의 우선변제를 받을 권리를 말합니다." 교수가 강의를 시작했다.

저당권의 개념

부동산을 담보로 대출을 받으면, 저당권이 설정된다.

집을 담보로 잡을게요.

대출

저당권이 설정되어도 저당물은 여전히 채무자가 점유하고 사용 수익한다.

집은 여전히 내가 사용하지.

저당권자가 저당 부동산을 점유하지 않으므로, 등기를 하여야 한다.

등기부등본

근저당권 설정

채무를 변제하지 않으면 채권자는 경매대금에서 우선변제 받을 수 있다.

돈을 갚지 않으면 집을 경매해서 채무를 변제하겠습니다.

은행

앗, 빨리 채무를 갚아야 해.

"저당권의 효력은 원금, 이자, 등기된 위약금까지 포함하여 우선변제받을 수 있습니다. 또한, 채무자 소유의 물건에 저당권을 설정하는 것이 원칙이나, 타인의 물건에 저당권을 설정하는 경우도 있습니다." 교수의 설명이 계속됐다.

"그러면 저당권은 언제 소멸하나요?" 앞자리 학생이 물었다. "제3취득자의 변제, 혹은 경매로 소멸됩니다. 경매가 이루어지면, 저당권설정등기 이후에 설정된 전세권도 함께 소멸합니다." 교수가 답했다.

저당권의 설정과 소멸

저당권은 원금, 이자, 위약금까지 모두 포함하여 담보된다.

따라서 등기부를 살펴보면 원본과 이자, 위약금 등이 모두 등기되어 있다.

저당권은 채무자 소유의 물건에 대해 설정하는 것이 원칙이지만

타인(=물상보증인)의 물건에 대해 저당권 설정하는 경우도 있다.

저당권이 설정된 건물이 증축된 경우, 원칙적으로 증축된 부분에도 효력이 발생한다.

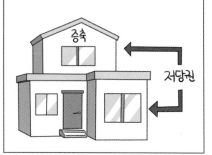

그러나 토지에 설정된 저당권은 건물에는 효력이 없다.

동일한 채무를 담보하기 위해 여러 개의 부동산에 저당권을 설정할 수 있는데, 이를 공동저당이라고 한다.

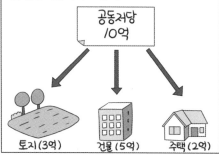

반대로 여러 개의 채권을 하나의 저당권으로 담보할 수 있다.

경매가 되면 저당권은 소멸한다. 저당권 설정등기 이후에 설정된 전세권 등은 소멸한다.

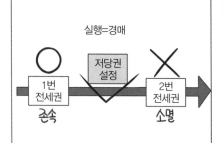

이 경우, 후순위저당권이 경매를 하여도 최선순위 뒤의 용익물권은 소멸한다.

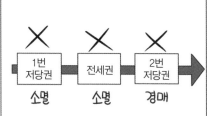

"저당부동산도 타인에게 양도할 수 있나요?" 윤득 씨가 질문했다. "그렇습니다. 저당권이 설정된 후에 소유권, 지상권, 전세권 등을 취득한 사람을 제3취득자라고 합니다. 민법은 이들을 보호하기 위한 특별규정을 두고 있습니다." 교수가 답했다.

제3취득자의 지위

저당권 설정 후에도 목적물을 양도하거나 전세권을 설정할 수 있다.

소유권

저당권 설정자

전세권

저당권 설정 후 소유권·지상권·전세권을 취득한 자를 제3취득자라 한다.

제 3 취득자

제3취득자는 저당권이 실행되면 자신의 권리를 상실할 우려가 있으므로 보호할 필요가 있다.

등기부
을구

제 1 순위 저당권

제 2 순위 전세권

따라서 채무자 의사에 반하는 경우에도, 담보된 채권을 변제하고 저당권의 말소를 청구할 수 있다.

제가 대신 변제할 테니 저당권을 말소시켜 주세요.

알겠습니다.

변제

제 3 취득자

▼ ONE POINT

나대지에 저당권이 설정된 이후, 저당권설정자가 그 토지에 건물을 축조한다면 저당권자는 토지와 건물을 함께 경매 신청할 수 있다.

14 근저당권

이어서 근저당권을 주제로 한 강의가 시작됐다. "근저당권이란 도매상과 소매상의 관계처럼, 계속된 거래 관계로부터 생기는 다수의 불특정채권을 장래의 결산기에 있어서 일정한 한도액까지 담보하는 저당권을 말합니다." 교수가 말했다.

근저당권의 개념

"다시 말해, 근저당권은 불확정한 채권을 일괄하여 하나의 저당권으로 담보하는 것입니다. 장래의 채권을 담보하는 것이기에, 일반저당권과는 다른 특성을 보이죠."
교수가 차근차근 설명했다.

근저당권의 특성

저당권이 성립하려면 저당권으로 담보할 채권이 있어야 한다. 이 채권을 피담보채권이라 한다.

일반적인 경우, 저당권 설정 당시에 피담보채권이 확정되어 있다.

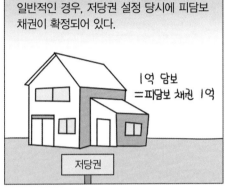

근저당권의 경우, 근저당권 설정 당시 피담보채권이 확정되어 있지 않다.

장래의 채권을 담보하는 것이기 때문이다.

결산기에 확정되는 채권액과 채권최고액은 다를 수 있는데,

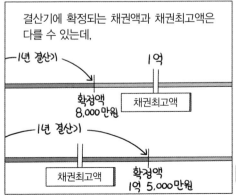

이는 외상값이 계속 변하기 때문인 경우가 대부분이다.

"근저당권은 장래 확정된 채권 전부를 담보하지 않고, 일정 한도액까지만 우선 변제를 받을 수 있도록 담보합니다. 이를 채권최고액이라고 하며, 채권최고액은 등기부에 반드시 기재되어야 합니다."

채권최고액

근저당권은 채권최고액까지만 담보한다.

채권최고액은 등기부에 필수적으로 기재된다.

확정된 채권액이 채권최고액을 초과한 경우,

확정된 채권
(1억 5,000)
>
채권 최고액
(1억)

근저당권자는 경매대금에서 채권최고액범위 내에서만 우선변제를 받을 수 있다.

채무자는 확정된 피담보채권액 전부를 변제하여야 근저당권 소멸을 청구할 수 있다.

그러나 물상보증인은 채권최고액 범위 내에서만 변제하고 말소를 청구할 수 있다.

"외상을 다 갚으면 근저당권도 소멸하지요?" 윤득 씨가 물었다. "아닙니다. 채무액이 일시적으로 존재하지 않더라도, 근저당권은 소멸되지 않습니다. 외상을 갚은 다음날에라도, 채권이 다시 발생할 가능성이 크기 때문이죠." 교수의 답변으로 수업이 마무리됐다.

근저당권의 소멸과 변경

보통의 경우 채무가 소멸하면 저당권도 소멸하는 것이 원칙이지만,

드디어 외상값을 다 갚았다! 저당권도 소멸되겠지?

근저당권의 경우 채무가 일시적으로 전부 변제되더라도 소멸하지 않는다.

내일 다시 외상할 수도 있으니, 근저당은 존속돼요.

근저당권은 피담보채무가 확정되기 이전이라면 채무의 범위를 변경할 수 있다.

감자 장사가 안 되니까 고구마로 바꿀래요.

이 경우 변경 후의 채무만 담보된다.

난 이제 고구마의 외상값만 담보하면 돼!

15 계약의 성립

드디어 좋은 매물을 찾아낸 지석 씨는 계약을 추진하려 한다. 계약이 성립하려면
서로 대립하는 두 개의 의사표시의 합치, 즉 합의가 있어야 한다. 이때 한쪽의 의사
표시를 청약, 반대쪽의 의사표시를 승낙이라고 한다. 즉 계약은 청약과 승낙의 의
사표시의 합치에 의하여 성립한다.

상황별 계약의 성립

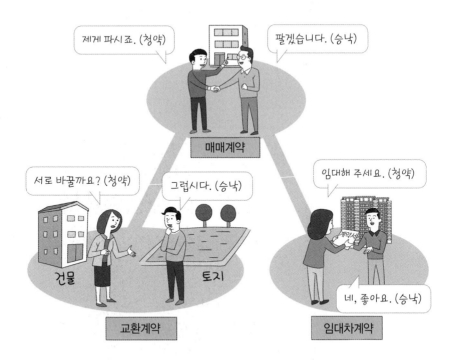

청약은 승낙과 결합하여 일정한 내용의 계약을 성립시킬 것을 목적으로 하는 의사표시로, 법률사실에 해당된다. 이때, 청약은 타인을 꾀어 자신에게 청약하게 하려는 행위인 '청약의 유인'과 구별되어야 한다.

청약의 요건

청약은 계약의 일방 당사자가 될 특정인에 의해 행해지며, 상대방이 있는 의사표시이다.

그 상대방은 특정인뿐 아니라 불특정다수인도 될 수 있다.

자판기는 누구든지 돈만 넣으면 음료를 주는 대표적인 청약 사례야!

청약은 상대방에게 도달하여야 그 효력이 발생한다.

이 건물을 ㄴ억 원에 팔게요.

청약서 받았어요. 제가 살게요.

청약자   승낙자

일단 도달하여 효력이 발생한 후에는 청약자는 마음대로 바꿀 수(=철회할 수) 없다.

마음이 바뀌었어요. 안 팔겠습니다.

이제 와서 그러셔도 안 돼요. ㄴ억 원에 사겠습니다.

청약과 **'청약의 유인'**을 구별하여야 한다.

광고를 낸 걸 보니 청약 의사를 표시한 거겠지?

임대 분양중

청약의 유인은 청약을 유도하는 행위이다.

임대광고 보고 왔어요. 계약하시죠.

좋습니다.

임대 분양중

청약 유도에 성공했어!

승낙은 청약에 대하여 계약을 성립시키려는 상대방의 의사 표시로, 승낙 역시 법률 사실에 해당한다. 이때 승낙은 반드시 특정 청약자에게 표시해야 하며, 불특정 다수인에 대한 승낙은 있을 수 없다.

승낙의 요건

청약에 대하여 계약을 성립시키려는 상대방의 의사표시를 승낙이라고 한다.

승낙은 반드시 특정 청약자에게 해야 한다.

승낙은 청약의 내용과 일치하여야 계약이 성립된다.

승낙의 여부는 승낙자의 자유다.

일정 기간 이후에는 승낙한 것으로 보겠다고 하더라도 승낙이 없으면 계약은 성립하지 않는다.

그 외의 다른 방법에 의하여 계약이 성립되기도 한다. 교차청약에 의한 계약은 동일한 내용의 양 청약이 상호 교차한 경우 성립된다. 또한, 의사실현에 의한 계약 성립도 가능하다.

기타의 방법에 의한 계약 성립

교차청약에 의한 계약 성립

갑이 을에게 자신의 토지를 5억 원에 팔겠다고 청약하였으나, 을이 그 청약을 받기 전에 갑의 토지를 5억 원에 사겠다고 청약한 경우 계약이 성립된다. 계약 성립일은 양 청약이 상대방에게 도달한 때이다.

의사실현에 의한 계약 성립

청약자의 의사표시나 관습에 의하여 승낙의 통지가 필요 없는 경우에는, 승낙의 의사표시로 인정되는 사실이 있으면 계약은 성립한다.

16 위험부담

그날 밤, 지석 씨는 낮에 계약한 건물이 불에 타 사라지는 꿈을 꾸고 놀란 가슴을 쓸어내렸다. 실제로 일어났다면 아찔한 사고이다. 이처럼 지석 씨가 매매계약을 체결한 이후 건물주(매도인)의 귀책사유 없이 건물이 소실된다면, 지석 씨는 대금을 지급해야 할까? 이것이 '위험부담'의 문제이다.

위험부담의 개념

원인불명의 화재로 건물 전소

내 탓이 아니니 대금은 주세요!

건물도 못 받았는데 대금을 왜 드립니까?

매도인

매수인

▼ ONE POINT

위험부담은 쌍무계약에서 문제가 되며, 매매계약은 양쪽 채무가 서로 대가성을 가지는 쌍무계약이다.

위험이란 '계약당사자인 채권자와 채무자의 책임 없는 사유로 채무의 내용이 불능이 됨으로써 발생된 불이익'을 말한다. 원칙적으로 민법에서는 채무자가 위험을 부담하므로, 계약 관계에서 누가 채무자인지를 파악해야 한다.

부동산매매에서의 위험부담

매도인은 소유권이전채무를 부담하고 대금을 받을 권리자이다.

매수인은 대금을 지급할 채무가 있지만, 소유권을 취득할 채권자이다.

소유권을 이전할 입장에서는 매도인이 채무자가 된다. 즉, 매도인이 위험을 부담한다.

소유권을 취득할 입장에서는 매수인이 채권자이다.

따라서 매도인은 매수인에게 대금을 청구할 수 없다.

또한, 매도인이 이미 받은 계약금이나 중도금은 반환하여야 한다.

매도인인 건물주의 실수로 건물에 불이 난 경우에는 어떨까? 이때는 매도인에게 책임이 있기에, 채무불이행의 문제가 된다. 따라서 지석 씨는 계약해제와 손해배상을 청구할 수 있다. 그러나 지석 씨의 실수로 불이 났다면, 위험부담은 지석 씨의 몫이다.

채권자(=매수인)의 위험부담

부동산매매에서의 위험은 원칙적으로 등기 시에 이전된다.

매도인

등기 후에는 내가 위험을 부담하는구나!

(등기)
매수인
=
위험부담

그러나 **등기 전에** 인도가 행해진 경우에는, 인도 시 위험이 이전된다.

아직 등기 전인데……

이미 인도했으니, 당신이 위험을 부담해야 해요!

매수인
(점유)
=
위험부담

만약 매도인이 건물 소실을 사유로 화재보험금을 받았다면 어떨까? 지석 씨는 매매대금을 지급하는 대신, 자신이 화재보험금을 수령할 수 있도록 보험금청구권의 양도를 청구할 수 있다. 이것은 채권자의 권리로 대상청구권이라 한다.

대상청구권

채무자에게 이행불능이 발생한 것과 동일한 원인에 의하여 목적물에 갈음하는 이익을 얻었을 경우에 채권자가 채무자에게 그 이익의 상환을 청구할 수 있는 권리를 말한다.

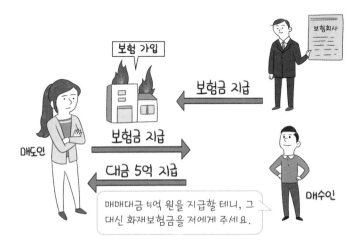

보험회사

보험 가입

보험금 지급

보험금 지급

대금 5억 지급

매도인

매수인

매매대금 5억 원을 지급할 테니, 그 대신 화재보험금을 저에게 주세요.

17 제3자를 위한 계약

지석 씨가 매수 예정인 건물의 주인은 "계약을 한다면, 매매대금을 제가 아닌 다른 사람에게 지급해야 합니다."라고 말했다. 정상적인 계약인지 의심이 생긴 지석 씨는 윤득 씨와 상담했다. "그런 경우를 제3자를 위한 계약이라고 해. 계약당사자 외의 제3자에게 직접 권리를 취득시키는 계약이지." 윤득 씨가 설명했다.

제3자를 위한 계약

설명은 계속됐다. "제3자를 위한 계약 관계에는 요약자(채권자), 낙약자(채무자), 그리고 수익자(제3자)가 존재해. 이번 거래의 경우 건물 매도인이 요약자, 매수인인 지석이 네가 낙약자, 그리고 대금을 받을 사람이 수익자가 되는 거지."

제3자를 위한 계약 관계

제3자에 대하여 채무를 부담하는 자를 **낙약자**, 그 상대방은 **요약자**, 제3자는 **수익자**라 한다.

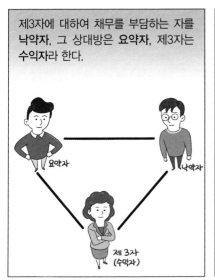

계약 당사자는 요약자와 낙약자이며, 이들의 관계를 **보상관계**라 한다.

요약자와 수익자의 관계를 **대가관계**라 한다.

낙약자와 제3자 사이의 관계를 **수익관계**라 한다. 제3자는 낙약자에게 수익의 의사를 표시하여야 권리를 취득할 수 있다.

"계약할 당시 제3자도 꼭 있어야 하나요?" 지석 씨가 물었다. "제3자는 계약 당사자가 아니기에, 계약 당시에 현존할 필요가 없어. 뱃속의 아기를 위해 계약하는 태아보험이 대표적인 제3자를 위한 계약 사례라고 할 수 있지." 윤득 씨가 답했다.

제3자의 지위

"계약 당사자들은 어떤 권리를 가지나요?" 지석 씨가 물었다. "계약 당사자인 요약자와 낙약자는 기본 계약에 대한 취소권·해제권·해지권 등을 행사할 수 있지. 이는 제3자는 행사할 수 없는 권리야." 윤득 씨가 답했다.

계약 당사자의 지위

요약자는 계약당사자로서 이행청구권을 가진다.

빨리 수익자에게 대금을 지급하세요.

낙약자의 채무불이행이 있는 경우, 요약자는 제3자의 동의 없이 단독으로 계약을 해제할 수 있다.

대금을 계속 주지 않으니 계약 해제하겠어요.

난 싫지만 어쩔 수 없군!

낙약자는 보상관계(=기본계약)에서 생기는 항변권으로 제3자에 대항할 수 있다.

잔금은 왜 안 주나요?

등기한 이후에 잔금을 주기로 계약했어요.

이때 항변이란 취소권, 해제권 등 계약 자체에 기반한 항변이다.

계약이 해제되었으므로 잔금은 못 줍니다.

해제를 원인으로 한 원상회복청구권은 없다.

계약해제

요약자

낙약자

중도금 수령

제3자
(수익자)

계약이 무효나 취소된 경우, 낙약자가 이미 제3자에게 급부한 것에 대해서는 반환을 청구할 수 없다.

계약 취소됐으니, 중도금 돌려줘요.

어림없는 소리!

18 계약금

고민 끝에 계약을 결심한 지석 씨는 윤득 씨와 함께 에듀윌 동문회 인증 중개업소 현판이 붙은 부동산으로 향했다. 계약을 위해서는 통상적으로 계약금을 지급한다. 계약금이란 계약을 체결함에 있어 그 계약에 부수하여 당사자 일방이 상대방에게 교부하는 금전 기타의 유가물을 말한다.

계약금의 개념

▼ ONE POINT
계약금은 매매 계약뿐 아니라 임대차 · 도급 · 위임 등에서도 주고받는다.

"계약금 없이 바로 계약할 수도 있다던데요?" 지석 씨가 물었다. "계약금이 매매계약의 요소는 아니기에, 계약금 없이도 매매계약은 유효하게 성립할 수 있습니다. 하지만 계약금은 계약에 있어 중요한 기능을 합니다." 공인중개사가 답했다.

기능에 따른 계약금의 종류

증약금

계약을 체결한 증거 기능을 하는 계약금을 말한다. 계약금은 언제나 증약금의 성질을 가진다.

위약금

채무 이행을 확보하기 위한 계약금으로, 교부한 자가 계약을 불이행하면 계약금을 몰수하고, 수령한 자가 불이행하면 그 배액을 상환한다고 약정한 경우이다.

해약금

계약 당사자의 일방이 이행에 착수할 때까지, 계약금 교부자는 이를 포기하는 대신 계약을 해제할 수 있고, 수령자는 계약금의 배액을 상환하여 계약을 해제할 수 있다고 약정하는 의미에서 주는 계약금이다. 특약이 없다면, 계약금은 해약금으로 추정한다.

"해약금만 내면 언제든 계약을 해제할 수 있나요?" 지석 씨가 물었다. "그렇지 않습니다. 해약금 해제를 행사할 수 있는 기간은 당사자의 일방이 이행에 착수할 때까지입니다. 이행의 착수란 채무이행의 일부를 행하거나 이행에 필요한 전제 행위를 하는 것을 의미합니다." 공인중개사가 설명했다.

해약금에 의한 계약 해제

이행의 착수에는 중도금 지급, 잔금 준비, 등기소 동행 촉구 등이 있다.

특약이 없는 한, 약정한 이행기 이전이라도 이행착수할 수 있다.

일방이 이행에 착수했다면, 해약금에 의한 계약을 해제할 수 없다.

중도금을 지급한 경우, 교부자도 해약금에 의한 계약 해제를 할 수 없다.

계약금의 일부만 지급받은 경우, 그 배액을 상환해도 계약을 해제할 수 없다.

교부자는 계약 해제의 의사표시만 하면 계약을 해제할 수 있다.

수령자는 반드시 계약금의 배액을 제공하여야 계약을 해제할 수 있다.

이때 상대방이 수령을 거절하여도 공탁할 필요는 없다.

해약금 해제가 되면 계약은 소급해서 소멸한다.

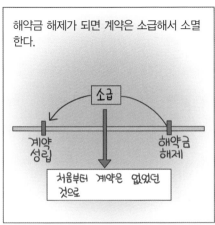

채무불이행으로 인한 해제가 아니므로 손해배상 청구할 수 없다.

해약금 해제는 임의규정이기에,

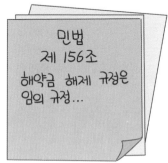

당사자 간의 약정으로 배제할 수 있다.

19 토지임차인의 지상물매수청구권

지석 씨의 계약이 마무리되자, 윤득 씨는 1차 시험 준비에 집중할 수 있게 됐다. 오늘 강의 주제는 지상물매수청구권이다. "지상물매수청구권은 건물 기타 공작물의 소유를 목적으로 토지를 빌린 임차인이 갖는 권리입니다." 교수가 설명을 시작했다.

지상물매수청구권의 개념

"토지 임대차기간이 만료되어도, 건물이나 수목 등 지상물이 사라지는 건 아니죠? 이 경우, 임차인은 임대차계약 갱신을 청구할 수 있습니다. 하지만 임대인이 이를 거절하면, 임차인은 자신이 소유한 지상물을 매수할 것을 청구할 수 있는데요. 이것이 지상물매수청구권입니다."

지상물매수청구권의 이해

타인 토지에 건물을 소유하기 위해 토지를 임차할 수 있다.

임대차기간이 만료되었으나 건물이 현존할 경우, 임차인은 계약의 갱신을 청구할 수 있다

임대인이 갱신을 거절하면, 임차인은 건물의 매수를 청구할 수 있다.

매수청구권은 형성권으로, 임대인의 의사와 관계없이 성립한다.

매수청구와 동시에 시가 상당 매매계약이 체결된다.

지상물의 매수를 원하지 않으면, 임대차계약을 갱신할 수밖에 없다.

"매수청구권의 대상은 어떻게 되나요?" 윤득 씨가 물었다. "토지 위의 지상물이라면 원칙적으로 가능합니다. 무허가 건물이나 미등기 건물, 토지 임대인의 동의를 얻지 않은 신축 건물도 매수청구권의 대상입니다." 교수가 답했다.

지상물매수청구권의 대상

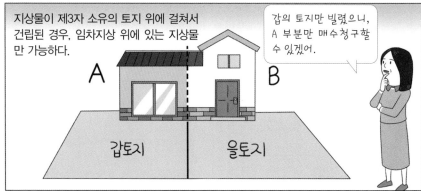

"그러나 토지 임차인의 채무불이행으로 인해 계약이 해지된 경우에는 매수청구를 할 수 없습니다. 마찬가지로, 토지 임차인이 건물을 타인에게 건물을 양도한 경우에는 매수청구권을 행사할 수 없습니다." 교수가 강조하며 강의를 이어갔다.

지상물매수청구권의 특성

차임의 2기연체 등 채무불이행으로 해지된 경우에는 인정되지 않는다.

건물을 타인에게 양도한 경우에는 인정되지 않는다.

강행규정이므로 "임대차 종료 시 건물을 철거한다."라는 약정이나

지상 시설 일체를 포기하기로 한 약정은 무효이다.

임대인이 매수대금을 주기 전까지,

임차인은 동시이행항변권을 행사하여 토지를 반환을 거부할 수 있다.

20 임차권의 양도와 전대

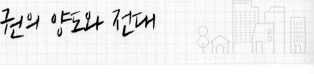

오늘도 윤득 씨는 1차 시험을 위한 강의를 듣는 데 열심이다. "임차권의 양도란 동일성을 유지하면서 임차권을 타인에게 이전하는 것이고, 전대란 임차인이 임차권을 그대로 유지하면서 타인에게 다시 임대(=전대)하는 것을 말합니다. 임차인의 양도나 전대에는 임대인의 동의가 필요합니다." 교수가 말했다.

임차권의 양도와 전대

"갑이 자신의 아파트를 을에게 임대했다고 가정해 봅시다. 이때 임차인인 을은 갑의 동의를 얻어 자신의 임차권을 제3자인 병에게 양도할 수 있습니다. 이것이 임차권의 양도입니다. 또한, 임차인인 을은 자신의 임차권을 그대로 유지하면서, 제3자인 병에게 아파트를 임대할 수도 있습니다. 이를 임차물의 전대라고 합니다." 교수가 설명했다.

임차권의 양도

임차인은 임대인의 동의하에

임차권을 타인에게 이전할 수 있다.

임차권의 양도에서 양도인은 임대차 관계에서 탈퇴되고

양수인이 종전 임차권을 그대로 승계한다.

임차권의 전대

임차인은 임대인의 동의하에

당신에게 빌린 아파트를 병에게 전대하고 싶어요.

흠, 그러시죠.

임차권은 그대로 유지한 채, 임차물을 타인에게 '다시 임대(=전대)' 할 수 있다.

제 임차권은 유지됩니다.

이 경우, 임대인과 임차인의 관계는 그대로 유지된다.

당신과 나는 여전히 임차인과 임대인 관계!

따라서 임대인은 임차인에게 여전히 차임을 청구할 수 있다.

차임 주세요.

임차인은 임대인에게 여전히 임차물보관 의무를 진다.

당신도 잘 관리해야 해요.

네!

따라서 전차인의 과실로 목적물이 멸실·훼손되면 임차인도 함께 책임을 져야한다.

당신도 물어내요!

"그럼 임대인과 전차인의 관례는 어떻게 되나요?" 윤득 씨가 물었다. "둘 사이에 직접적인 임대차관계가 성립하는 것은 아닙니다. 다만, 민법은 임대인의 보호를 위해 전차인이 임대인에게 직접 의무를 부담하도록 하고 있습니다." 교수가 답했다.

임대인과 전차인의 관계

임대인과 임차인이 합의로 임대차를 종료하여도 전차권은 소멸하지 않는다. 전차인의 보호를 위함이다.

임대차 종료합시다.

난 여전히 전차권자!

갑 / 을 / 병

임대인은 적법하게 임대차 해지통고를 하는 경우, 전차인에게도 이를 통지하여야 한다.

기간약정을 안 했으니 임대차 해지합니다.

갑 / 을 / 병

전차인에게 통지하지 않은 경우, 전차인에게 대항하지 못한다.

임대차 기간 끝났으니 나가주세요.

뭐라고요? 전 통지받지 못했으니, 계속 사용할 거예요!

그러나 임차인의 차임 연체로 해지하는 경우에는, 통지를 하지 않아도 된다.

을이 차임을 연체한 탓이니, 나가셔야 해요.

미안합니다.

무단전대라도 임대차를 해지하지 않는 한, 임대인은 임차인에게 계속 차임을 청구할 수 있다.

월세 주세요!

이 경우, 임대인은 전차인에게 차임에 갈음하는 손해배상은 청구할 수 없다.

무단으로 점유했으니 손해배상 해 줘요!

무슨 소리? 임차인에게 이미 월세 받았잖아요?

01   (   )은/는 표의자가 진의 아님을 알고서 한 의사표시를 말한다 [단독허위표시, 심리유보(心理留保)라고도 함]. 여기서 진의란 특정한 내용의 의사표시를 하고자 하는 표의자의 생각을 말하는 것이지 표의자가 진정으로 마음 속에서 바라는 사항은 아니다.

    * 「민법」 제107조【진의 아닌 의사표시】
    ① 의사표시는 표의자가 진의 아님을 알고 한 것이라도 그 효력이 있다. 그러나 상대방이 표의자의 진의 아님을 알았거나 이를 알 수 있었을 경우에는 무효로 한다.
    ② 전항의 의사표시의 무효는 선의의 제3자에게 대항하지 못한다.

02   (   )은/는 표의자가 상대방과 합의(통정)하여 행하는 허위의 의사표시를 말한다. 예를 들어 채무자가 채권자의 강제집행을 면할 목적으로 자기 부동산을 친구에게 가장매매하는 것을 말한다.

    * 「민법」 제108조【통정한 허위의 의사표시】
    ① 상대방과 통정한 허위의 의사표시는 무효로 한다.
    ② 전항의 의사표시의 무효는 선의의 제3자에게 대항하지 못한다.

03   (   )은/는 복대리인이 본인의 이름으로 법률행위를 하거나 의사표시를 수령함으로써 법률효과가 모두 직접 본인에게 귀속하도록 하는 제도를 말한다.

정답   01 비진의표시   02 통정허위표시   03 복대리

04 (　　　　　)은/는 대리인에게 대리권이 없음에도 불구하고 마치 대리권이 있는 것과 같은 외관이 있고 그러한 외관의 발생에 관하여 본인이 어느 정도의 원인을 주고 있는 경우에 그 무권대리 행위에 대하여 본인이 책임을 지게 하는 제도이다.

05 (　　　　　)은/는 대리권 없이 타인의 이름으로 대리행위를 하였을 때에는 표현대리라고 볼 수 있는 특별한 사정이 없는 경우의 무권대리를 말한다. 표현대리에 해당하는 경우라 할지라도 상대방이 표현대리를 주장하지 않으면 (　　　　)으로/로 다루어진다. (　　　　)도 확정무효를 하지 않고 본인이 추인하면 소급해서 유효가 될 수 있다.

06 (　　　　　)은/는 일단 행하여진 불완전한 법률 행위를 뒤에 보충하여 완전하게 하는 일방적 의사표시이다. 민법에서는 취소할 수 있는 행위의 (　　　　), 무권대리 행위의 (　　　　), 무효 행위의 (　　　　)의 세 가지 경우에만 인정한다.

07 (　　　　　)은/는 상대방에게 일정한 행위를 할 것을 요구하는 통지로서 법률 규정에 의해 일정한 효과가 발생하는 것을 말한다.

08 (　　　　　)은/는 아직 종국적으로 법률효과를 발생하고 있지 아니한 의사표시를 그대로 장래에 효과가 발생하지 않게 하거나 일단 발생한 의사표시의 효력을 장래를 향하여 소멸시키는 표의자(表意者)의 일방적인 의사표시이다.

09 (　　　　　)은/는 타인의 토지 또는 건물을 일정한 목적을 위하여 사용·수익할 수 있는 물권을 말한다. 민법에서는 지상권·지역권·전세권이 이에 해당하며 모두가 부동산을 객체로 하고 있다.

정답　04 표현대리　　05 협의의 무권대리　　06 추인　　07 최고　　08 철회
09 용익물권

10 (   )은/는 현재로서는 법률행위의 효력이 발생하지 않지만 추후
에 허가 · 인가 · 추인 등에 의해 유효로 확정될 수 있는 법적 상태를 말한
다. 「부동산 거래신고 등에 관한 법률」상 토지거래허가구역 내의 토지에 대
해 허가를 전제로 체결한 계약이 관할관청의 허가를 받으면 소급해서 유효
가 되므로 허가 받기 전까지의 무효를 (   )이라/라 한다.

11 (   )은/는 일정한 목적을 위하여 타인의 토지를 자기 토지의 편
익에 이용하는 물권을 말한다. 편익을 받는 토지를 요역지(要役地)라 하
고 편익을 제공하는 토지를 승역지(承役地)라고 한다.

12 (   )은/는 타인의 토지에 건물, 기타의 공작물이나 수목을 소유
하기 위하여 그 토지를 사용할 수 있는 물권을 말한다.

13 (   )은/는 전세금을 지급하고 타인의 부동산을 일정기간 용도에
따라 사용 · 수익한 후, 그 부동산을 반환하고 전세금의 반환을 받는 권리
를 말한다.

14 (   )은/는 조건성취로 인하여 불이익을 받을 당사자가 신의성실
에 반하여 조건의 성취를 방해한 경우 상대방은 조건이 성취한 것으로 주
장할 수 있다는 것이다.

15 (   )은/는 물건을 사실상 지배하는 것을 점유라 하고, 이 점유하
는 자에게 인정되는 권리가 점유권이다.

16 (   )은/는 타인의 물건 또는 유가증권을 점유한 자가 그 물건이
나 유가증권에 관하여 생긴 채권이 변제기에 있는 경우에 그 채권의 변제
를 받을 때까지 그 물건 또는 유가증권을 유치할 수 있는 권리를 말한다.

정답 10 유동적 무효   11 지역권   12 지상권   13 전세권
14 조건불성취에 대한 반신의행위   15 점유권   16 유치권

17   (   )은/는 최초양도인(甲)과 중간자(乙)가 물권행위를 하고 이전 등기를 하지 않은 상태에서 중간자(乙)와 최종양수인(丙)이 물권행위를 한 경우 중간자(乙)의 등기를 생략하고 최초양도인(甲)에게서 최종양수인(丙)에게로 행해지는 등기이다.

18   (   )은/는 물건 또는 권리를 점유하는 사실상태가 일정기간 동안 계속된 경우에 그 상태가 진실한 권리관계와 일치하는가의 여부를 묻지 않고 권리취득의 효과가 생기는 것으로 하는 제도이다.

19   (   )은/는 20년간 소유의 의사로 평온·공연하게 부동산을 점유한 경우 그 사실상태를 그대로 존중하여 등기함으로써 소유권을 취득하는 제도이다.

20   (   )은/는 소유자로 등기한 자가 10년간 소유의 의사로 평온·공연·선의·무과실로 부동산을 점유하면 소유권을 취득하는 제도이다.

21   (   )은/는 계약 또는 법률규정에 의하여 수인이 조합체로서 물건을 소유하는 형태로, 공유와 총유의 중간에 있는 공동소유 형태이다. 예컨대 딸기를 공동으로 경작 판매하기 위해 딸기영농조합을 만든 경우, 그 조합재산은 조합원들의 (   )에 속하게 되는 것이다. 조합에도 지분은 존재하지만 지분을 처분하기 위해서는 다른 합의자 전원의 동의가 있어야 한다.

22   (   )은/는 법인 아닌 사단의 사원이 집합체로서 물건을 소유하는 공동소유의 형태를 말한다. 지분이 없으며, 보존행위는 총회의 결의를 거쳐 사단 자신의 명의로 하거나 구성원 전원의 이름으로 한다. (   )은/는 공유나 합유와는 달리 사원에게 지분은 존재하지 않는다.

정답   17 중간생략등기   18 취득시효   19 점유취득시효   20 등기부취득시효
21 합유   22 총유

23 (　　　　　)은/는 토지와 건물이 동일인의 소유에 속하였다가 토지와 건물 중 어느 하나가 매매 기타 사유로 토지소유자와 건물소유자가 다르게 된 경우에 건물을 철거한다는 특약이 없는 한 건물소유자가 당연히 취득하게 되는 지상권이다. (　　　　)은/는 법률규정에 의한 물권변동이므로 등기 없이 취득하지만, 이를 처분하는 경우에는 등기하여야 한다.

24 (　　　　　)은/는 등기권리자가 등기의무자에 대하여 등기신청에 협력할 것을 청구할 수 있는 실체법상의 권리를 말한다.

25 (　　　　　)은/는 대리인이 한 법률행위의 효과가 직접 본인에게 귀속하기 위해서는 대리인이 '본인의 이름으로' 법률행위를 하여야 한다는 것을 의미한다.

26 (　　　　　)은/는 동일한 채권을 담보하기 위하여 수개의 부동산에 저당권을 설정하는 저당권을 말한다. 목적물의 수만큼 저당권이 존재한다.

27 (　　　　　)은/는 토지를 목적으로 하는 저당권을 설정한 후 설정자가 그 토지에 건물을 축조한 경우 저당권자가 토지와 함께 그 건물에 대해서도 경매를 청구할 수 있는 권리이다. 일괄경매청구는 의무가 아니라 저당권자의 자유이며, 토지만을 경매하여 그 대금으로부터 충분히 피담보채권의 변제를 받을 수 있는 경우에도 인정된다.

  * 「민법」 제365조【저당지상의 건물에 대한 경매청구권】
  토지를 목적으로 저당권을 설정한 후 그 설정자가 그 토지에 건물을 축조한 때에는 저당권자는 토지와 함께 그 건물에 대하여도 경매를 청구할 수 있다. 그러나 그 건물의 경매대가에 대하여는 우선변제를 받을 권리가 없다.

정답　23 관습법상의 법정지상권　　24 등기청구권　　25 현명주의　　26 공동저당
27 일괄경매청구권

28 ( )은/는 저당권이 설정된 후에 저당목적물을 양도받은 양수인 또는 저당부동산 위에 지상권이나 전세권을 취득한 자이다. ( )은/는 저당권이 실행되면 권리를 상실할 우려가 있으므로 매수인(경락인)이 될 수 있는 권리, 변제권(지연배상은 1년분만 변제하면 됨), 담보책임 등의 방법으로 보호한다.

29 ( )은/는 계속적 거래관계로부터 발생하는 장래의 불특정채권을 일정한 한도액(=채권최고액)까지 담보하는 저당권으로, 채권최고액은 담보목적물로부터 우선변제를 받을 수 있는 한도액을 의미한다.

30 ( )은/는 다른 사람의 채무를 위하여 자신의 소유 재산을 담보로 제공한 사람을 말한다. 즉, 채무는 없으면서 자신의 재산으로 책임만 지는 자를 말한다.

31 ( )은/는 일정한 내용의 계약을 체결하려고 신청하는 의사표시로, ( )와/과 승낙의 의사표시가 합치되면 계약이 성립하게 된다.

32 ( )은/는 당사자 간에 동일한 내용의 청약이 상호교차된 경우를 이르는 것으로, 양 청약이 상대방에게 도달한 때에 계약이 성립한다.

33 ( )은/는 쌍무계약에 있어서 일방의 채무가 채무자의 책임 없는 사유로 후발적 불능이 되어 소멸한 경우, 타방당사자의 채무가 존속하느냐에 관한 문제이다.

정답 28 제3취득자 29 근저당권 30 물상보증인 31 청약
32 교차청약 33 위험부담

34 (   )은/는 채무자에게 이행불능이 발생한 것과 동일한 원인에 의하여 채무자가 이행의 목적물에 갈음하는 이익을 얻었을 경우에 채권자가 채무자에 대하여 그 이익의 상환을 청구할 수 있는 권리이다. 예를 들어 갑이 을에게 토지를 매각하기로 약정한 뒤에 그 토지가 수용되어 이행불능이 되었다. 이때 갑에게 보상금이 지급된다면, 을은 약정의 목적물인 토지에 갈음하는 이익, 즉 보상금을 채무자인 갑에게 청구할 수 있는 권리를 말한다.

35 (   )은/는 계약당사자 이외의 제3자(수익자)로 하여금 계약당사자의 일방에 대하여 직접 권리를 취득하게 하는 계약을 말한다. 예컨대, 갑이 병에게 건물을 매도하면서 대금은 을게 지급할 것을 약정하는 것이다. 이때에 갑을 요약자(要約者), 을을 낙약자(諾約者), 병을 수익자(受益者)라 한다. 제3자의 권리는 제3자가 낙약자에 대하여 계약의 이익을 받을 의사를 표시한 때에 생기고, 채무자에 대하여 직접 그 이행을 청구할 수 있다(민법 539조).

36 (   )은/는 제3자에 대하여 채무를 부담하는 자로, 요약자와의 계약 자체에 기한 항변(보상관계에 기한 항변)으로 제3자에게 대항할 수 있다. 제3자가 수익을 거절하는 경우 요약자에게 대신 급부함으로써 채무의 이행을 완료할 수 있다.

37 (   )은/는 낙약자에 대하여 제3자에 대한 채무의 이행을 청구할 권리를 가진다. 낙약자가 채무를 불이행하는 경우 자기 또는 제3자에게 손해배상을 할 것을 청구할 수 있다. 또 계약 당사자이므로 취소권, 해제권 등을 행사할 수 있으며, 제3자가 수익의 의사표시를 한 후일지라도 (   )이/가 계약해제권을 행사함에 있어서 제3자의 동의는 필요 없다.

38 (　　　　　)은/는 계약을 체결하면서 그에 부수하여 당사자 일방이 상대방에 대하여 교부하는 금전 기타의 유가물이다.

39 (　　　　　)은/는 계약체결의 증거로서의 의미를 가진다. 계약금은 언제나 (　　　　　)으로서의 성질을 가진다.

40 (　　　　　)은/는 당사자가 계약의 해제권을 유보하는 의미를 가지는 계약금을 말한다. 계약금을 교부한 자는 그것을 포기함으로써, 계약금을 받은 자는 그 배액을 상환함으로써 언제든지 계약을 해제할 수 있다(민법 565조). 민법은 계약금은 원칙적으로 이 (　　　　　)의 성질을 가지는 것으로 정하고 있다.

41 (　　　　　)은/는 계약을 체결할 때 계약을 위반하면 일정한 금액을 채권자에게 지급한다는 내용을 미리 약속하는 경우의 금전을 (　　　　　) 이라고/라고 한다.

42 (　　　　　)은/는 부동산거래계약에 있어서 계약금과 잔금 사이에 지급하게 되는 거래대금의 일부를 말한다.

43 (　　　　　)은/는 타인의 토지에 지상물(건물 · 공작물 · 수목)을 소유하기 위하여 그 토지를 임대하다가 그 기간이 만료한 경우에 임차권 소멸 당시의 임대인에게 토지의 지상물의 매수를 청구할 수 있는 권리이다.

44 (　　　　　)은/는 임차인이 임차물을 다시 제3자에게 임대하는 것을 말한다. 전대가 되어도 임대인과 임차인간에 임대관계는 그대로 존속한다. 전대시에는 임대인의 동의가 필요하다. 임대인의 동의없이 무단으로 임차물을 전대한 때에는 임대인이 임대차계약을 해지할 수 있다.

정답　38 계약금　　39 증약금　　40 해약금　　41 위약금　　42 중도금
43 지상물매수청구권　　44 임차물의 전대

머리글자 암기방법

특별히 대리운전하는

조 기사는

등허리가 아프다

법률행위의 특별효력요건 6가지

- ☑ 대리에 있어서의 대리권의 존재
- ☑ 조건부 · 기한부 법률행위에 있어서의 조건의 성취 · 기한의 도래
- ☑ 유언에 있어서의 유언자의 사망
- ☑ 물건변동에 있어서의 등기
- ☑ 토지거래허가구역 내 토지거래계약에 있어서의 관할관청의 허가

계약의 효력요건

- ☑ 적법
- ☑ 사회적 타당성
- ☑ 확정
- ☑ 가능

우리와 적인

사람은 확 가버려

기가 센 정조

법률행위의 조건

- ☑ 기성조건이
- ☑ 정지조건이면
- ☑ 조건없는 법률행위

유치권의 견련성이 인정되지 않는 경우

- ☑ 보증금 반환 채권
- ☑ 권리금 반환 채권
- ☑ 매매대금채권(부속물 매수청구권 행사 시)
- ☑ 사람의 배신행위(이중매매 시 손해배상청구권)

보(복)권을
매일 사다

부유변환상

미성년자가 단독으로 하지 못하는 행위

- ☑ 부담부증여계약 체결
- ☑ 유리한 매매의 체결
- ☑ 변제수령
- ☑ 반대급부를 요하지 않는 계약에서 반환의무
  를 지는 경우(이자 없는 소비대차)
- ☑ 상속의 승인

후견인이 후견감독인의 동의를 얻어야 하는 경우

- ☑ 영업
- ☑ 금전을 빌리는 행위
- ☑ 부동산 또는 중요재산 권리 득실변동 행위
- ☑ 의무만 부담하는 행위
- ☑ 상속 승인, 포기, 상속재산 분할 협의 중 어느 하나

영금부의
상소

공인중개사 시험,
제대로 알아야 학습전략이 잡힌다!

공인중개사
시험정보 및 학습전략

공인중개사란?

1 공인중개사가 하는 일

공인중개사란 공인중개사법에 의한 공인중개사 자격을 취득한 사람을 일컬으며, 법에 의한 중개 대상물인 토지, 건물, 입목, 공장재단, 광업재단 등의 매매, 대차, 교환의 중개 및 관리 대행, 부동산의 이용·개발, 경매·공매 부동산의 권리 분석과 취득 알선 등 다양하고 폭넓은 업무를 수행합니다.

공인중개사 사무소를 개설하여 중개업무에 종사하는 경우, 공인중개사 자격취득자 2인 이상이 중개법인을 설립하여 중개업무에 종사하는 경우, 기존의 공인중개사 사무소 또는 법인인 중개법인이 소속 공인중개사로 취업하는 경우 등이 있습니다.

2 공인중개사의 전망

정년이 없는 고소득 전문직! 남녀노소 누구나 1년만 열심히 공부하면 취득이 가능합니다. 중개업, 분양, 경매, 투자, 컨설팅까지 가능한 평생자격증입니다.

1. 1년 이내 누구나 합격할 수 있습니다.

유사 전문 자격증 대비 쉽게 합격이 가능한 시험으로, 누구나 1년 이내 합격할 수 있습니다. 2022년에 실시한 에듀윌 공인중개사 풀서비스 가채점 합격생 설문조사 결과, 1년 이내로 시험을 준비하는 인원은 83%가 넘었습니다.

공인노무사, 감정평가사, 공인중개사 제2차 시험 합격률(한국산업인력공단, 2022)

2. 응시 자격에 제한이 없습니다.

공인중개사는 나이, 성별, 학력, 경력, 지역 등의 제한이 없는 전문직이며, 비교적 정년이 없는 자유로운 직업이라는 점에서 노후를 실질적으로 대비할 수 있는 자격증입니다.

3. 3040 주부 자격증으로 뜨고 있습니다.

최근 합격 추이를 분석해보면 남녀의 합격 비율이 거의 동일합니다. 공인중개사는 나이 제한이 없고 취업, 재테크에도 도움이 되기 때문에 이러한 현상은 앞으로도 지속될 것으로 보입니다.

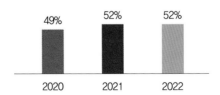

최근 3개년 공인중개사 제2차 시험 여성 합격자 비율(한국산업인력공단)

4. 2030 접수자 또한 증가하고 있습니다.

공인중개사 시험의 2030 접수자 수는 계속 증가하는 추세입니다. 최근 국내 고용 상황이 악화되면서, 공인중개사 시험에 응시하는 젊은 층이 늘어나고 있는 것으로 판단됩니다.

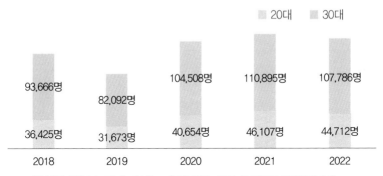

공인중개사 20, 30대 제1차 · 제2차 접수 인원 추이(한국산업인력공단)

5. 다양한 분야로 진출할 수 있습니다.

공인중개사를 취득하면 중개사무소 창업뿐만 아니라 관련 전문 분야 취업도 가능합니다. 합동, 개인 사무소는 물론, 부동산 관련 기업 및 외국인 투자 중개법인, 부동산 컨설팅 등 취업의 문이 넓습니다.

합동, 개인 사무소	부동산 관련 기업	부동산 컨설팅
부동산 관리 대행	주택, 상가 분양 대행	부동산투자신탁회사
정부 재투자 기관	외국인 투자 중개법인	법원 경/공매 대행
일반 기업 취업	한국토지주택공사, 한국부동산원 취업 시 가산점	재직 중 직장인 자격증 수당, 승급 우대

공인중개사 시험정보

1 일정 및 장소

1. 원서접수

매년 8월 2번째 월요일 9시부터 금요일 18시까지('23.8.7.~'23.8.11. 예정)

※ 원서접수 기간 : 정기접수 5일 및 빈자리접수 2일(빈자리접수는 정기접수 환불로 발생한 수용인원 범위 내에서 선착순으로만 이루어져 조기마감될 수 있음)

2. 시험일정

제1차 · 제2차 동시 시행하며, 매년 10월 마지막 주 토요일 시행('23.10.28. 예정)

3. 시험장소

원서접수 시 수험자가 시험지역 및 시험장소를 직접 선택

※ 접수인원 증가로 본인 희망 관할 시험장이 마감될 경우 타지역 시험장 접수 요망
※ 선호 지역 시험장은 조기 마감될 수 있음
※ 작년에 개설된 시험장이 올해는 미개설될 수 있음

2 시험시간

구분	교시	시험과목 (과목당 40문제)	입실시간 및 시험시간	
			입실시간	시험시간
제1차 시험	1교시	2과목	09:00까지	09:30~11:10(100분)
제2차 시험	1교시	2과목	12:30까지	13:00~14:40(100분)
	2교시	1과목	15:10까지	15:30~16:20(50분)

※ 수험자는 반드시 입실시간까지 입실하여야 함(시험 시작 이후 입실 불가)
※ 개인별 좌석배치도는 입실시간 20분 전에 해당 교실 칠판에 별도 부착함
※ 위 시험시간은 일반응시자 기준이며, 장애인 등 장애유형에 따라 편의 제공 및 시험시간 연장 가능(장애 유형별 편의 제공 및 시험시간 연장 등 세부 내용은 큐넷 공인중개사 홈페이지 공지사항 참조)

1. 제1차 시험(2과목, 시험시간 100분)

시험과목	시험범위	출제비율
부동산학개론	1. 부동산학개론 　1) 부동산학 총론 　　- 부동산의 개념과 분류, 부동산의 특성(속성) 　2) 부동산학 각론 　　- 부동산경제론 : 부동산의 수요와 공급, 부동산가격이론, 부동산의 경기변동 　　- 부동산시장론 : 부동산시장, 입지 및 공간구조론 　　- 부동산정책론 : 부동산정책의 의의 및 기능, 토지정책, 주택정책, 부동산조세정책 　　- 부동산투자론 : 부동산투자 이론, 부동산 투자분석 및 기법 　　- 부동산금융론 : 부동산 금융·증권론 　　- 부동산개발 및 관리론 : 부동산 이용 및 개발, 부동산 관리, 부동산 마케팅	85% 내외
	2. 부동산감정평가론 　1) 감정평가의 기초이론 　2) 감정평가방식 　3) 부동산가격공시제도	15% 내외
민법 및 민사특별법 중 부동산 중개에 관련되는 규정	1. 민법의 범위 　1) 총칙 중 법률행위 　2) 질권을 제외한 물권법 　3) 계약법 중 총칙·매매·교환·임대차	85% 내외
	2. 민사특별법의 범위 　1) 주택임대차보호법 　2) 집합건물의 소유 및 관리에 관한 법률 　3) 가등기담보 등에 관한 법률 　4) 부동산 실권리자명의 등기에 관한 법률 　5) 상가건물 임대차보호법	15% 내외

※ 답안은 시험시행일에 시행되고 있는 법령 등을 기준으로 작성

2. 제2차 시험(3과목, 시험시간 150분)

시험과목	시험범위	출제비율
공인중개사의 업무 및 부동산 거래신고 등에 관한 법령 및 중개실무	1. 공인중개사법 2. 부동산 거래신고 등에 관한 법률	70% 내외
	3. 중개실무	30% 내외
부동산공법 중 부동산 중개에 관련되는 규정	1. 국토의 계획 및 이용에 관한 법률	30% 내외
	2. 도시개발법 3. 도시 및 주거환경정비법	30% 내외
	4. 주택법 5. 건축법 6. 농지법	40% 내외
부동산공시에 관한 법령(부동산등기법, 공간정보의 구축 및 관리 등에 관한 법률) 및 부동산 관련 세법	1. 부동산등기법	30% 내외
	2. 공간정보의 구축 및 관리 등에 관한 법률 제2장 제4절 및 제3장	30% 내외
	3. 부동산 관련 세법(상속세, 증여세, 법인세, 부가가치세 제외)	40% 내외

※ 답안은 시험시행일에 시행되고 있는 법령 등을 기준으로 작성

4 응시자격

제한 없음. 다만, 다음에 해당하는 경우에는 공인중개사 시험에 응시할 수 없음

① 공인중개사 시험 부정행위로 처분받은 날로부터 시험시행일 전일까지 5년이 경과되지 않은 자(공인중개사법 제4조의3)

② 공인중개사 자격이 취소된 후 3년이 지나지 않은 자(공인중개사법 제6조)

③ 이미 공인중개사 자격을 취득한 자

5 합격자 결정 방법

1. 제1차 시험

매 과목 100점 만점으로 하여 매 과목 40점 이상, 전 과목 평균 60점 이상 득점한 자

2. 제2차 시험

매 과목 100점 만점으로 하여 매 과목 40점 이상, 전 과목 평균 60점 이상 득점한 자

1·2차 시험 응시자 중 제1차 시험에 불합격한 자의 제2차 시험은 합격 점수를 득 점하였더라도 무효로 함(공인중개사법 시행령 제5조 제3항)

※ 제1차 시험에 합격한 자에 대하여는 다음 회의 시험에 한하여 제1차 시험을 면제함
※ 제1차 시험 면제 대상자가 제34회 제2차 시험 대상자로 접수하지 않고, 1·2차 시험 대상자로 접수 하면 면제포기로 처리됨

6 최종 정답 및 합격자 발표

구분	기간	방법
가답안 공개 및 의견제시	시험시행 당일 18:00 부터 7일간(단, 종료일 18:00까지만 가능)	큐넷 공인중개사 홈페이지(www.Q-Net. or.kr/site/junggae)를 통해서만 의견 제시 가능
최종 정답 발표, 합격자 발표, 제1차·제2차 시험 득점 공개	합격자 발표일 09:00 부터 60일간	큐넷 공인중개사 홈페이지(www.Q-Net. or.kr/site/junggae)에 게재

※ 가답안 의견제시에 대한 개별회신 및 공고는 하지 않으며, 합격자 발표 시 공고한 최종 정답 발표로 이를 대신함
※ 의견제시 기간 이후 제기되는 의견들은 정답 심사대상에서 제외
※ 합격자 발표 등은 별도의 신문공고를 하지 않음

합격자 현황

회차	시행일		접수자 수	응시자 수	합격자 수	합격률
제33회	2022년 10월 29일	1차	238,779명	176,016명	34,746명	19.74%
		2차	149,059명	88,378명	27,916명	31.59%
제32회	2021년 10월 30일	1차	247,911명	186,278명	39,775명	21.35%
		2차	152,064명	92,569명	26,913명	29.07%
제31회	2020년 10월 31일	1차	213,959명	151,666명	32,367명	21.34%
		2차	129,075명	75,214명	16,555명	22.01%
제30회	2019년 10월 26일	1차	183,659명	129,694명	27,875명	21.5%
		2차	114,568명	74,001명	27,078명	36.6%
제29회	2018년 10월 27일	1차	196,939명	138,287명	29,146명	21.08%
		2차	125,652명	80,327명	16,885명	21.02%
제28회	2017년 10월 28일	1차	184,760명	128,804명	32,969명	25.60%
		2차	120,558명	76,393명	23,698명	31.0%
제27회	2016년 10월 29일	1차	163,180명	112,038명	29,749명	26.5%
		2차	110,071명	71,829명	22,340명	31.1%
제26회	2015년 10월 24일	1차	137,875명	93,185명	25,957명	27.86%
		2차	90,896명	58,178명	14,914명	25.64%
제25회	2014년 10월 26일	1차	112,311명	75,235명	16,992명	22.59%
		2차	71,641명	45,655명	8,956명	19.62%
제24회	2013년 10월 27일	1차	96,279명	62,817명	14,243명	22.67%
		2차	62,380명	39,343명	9,846명	25.03%
제23회	2012년 10월 28일	1차	104,649명	69,335명	12,711명	18.33%
		2차	71,067명	44,540명	11,373명	25.53%

제22회	2011년 10월 23일	1차	106,980명	72,482명	9,800명	13.52%
		2차	86,179명	56,875명	12,675명	22.28%
제21회	2010년 10월 24일		127,459명	67,039명	15,072명	22.5%
제20회	2009년 10월 25일		155,024명	73,180명	15,906명	21.5%
제19회	2008년 10월 26일		169,434명	89,428명	16,117명	17.8%
제18회	2007년 10월 28일		153,449명	82,465명	19,593명	23.8%
제17회	2006년 10월 29일		147,401명	79,398명	10,496명	13.2%
제16회	2005년 10월 30일		151,636명	81,543명	16,603명	20.2%
제15회 추가	2005년 05월 22일		138,272명	88,919명	30,680명	34.5%
제15회	2004년 11월 14일		239,263명	122,318명	1,805명	1.0%
제14회	2003년 09월 21일		261,153명	147,500명	29,636명	11.3%
제13회	2002년 10월 20일		265,995명	159,795명	19,144명	7.2%
제12회	2001년 09월 16일		132,996명	85,456명	15,461명	11.3%
제11회	2000년 09월 24일		129,608명	91,813명	14,855명	15.9%
제10회	1999년 04월 25일		130,116명	81,585명	14,781명	11.4%
제9회	1997년 11월 02일		120,485명	69,953명	3,469명	2.9%
제8회	1995년 11월 12일		72,940명	42,423명	1,102명	1.5%
제7회	1993년 11월 14일		49,602명	28,114명	2,090명	7.4%
제6회	1991년 11월 10일		95,775명	65,187명	1,798명	2.0%
제5회	1990년 04월 01일		42,766명	30,660명	3,524명	11.5%
제4회	1988년 12월 18일		33,400명	25,964명	5,507명	21.2%
제3회	1987년 11월 19일		26,257명	19,166명	943명	4.9%
제2회	1986년 11월 02일		39,083명	26,167명	3,018명	11.6%
제1회	1985년 09월 22일		198,808명	157,923명	60,277명	38.2%

※ 상대평가제로 격년 시행되던 시험이 제10회 시험부터 연 1회 절대평가제로 시행됨에 따라 공인중개사 자격 취득이 쉬워짐

공인중개사 시험에 임하는 자세

▊ 시험 공부 전 준비사항

1. 자신의 상황과 처지를 파악하라

공인중개사 시험의 응시자 수가 매년 증가함에 따라 응시생들의 연령과 학습환경 도 점점 다양해지고 있습니다. 연령과 학습환경은 '수험생의 하루 중 공부에 투자 할 수 있는 시간', '전체 준비기간', '학습방법' 등 많은 것에 영향을 줍니다. 그렇기 때문에 수험생 각각의 직업이나 상황에 맞는 목표 수립과 합격전략은 꼭 필요합 니다.

2. 목표를 정하고, 계획을 세워라

자신의 상황과 처지를 파악했다면, 구체적인 목표를 정하고 장단기 계획을 세워야 합니다. 이때 목표는 작은 것이라도 스스로 지킬 수 있고 해결해 나갈 수 있는 것 을 세우는 것이 중요합니다. 시작은 작지만, 이것들이 모여 최종 목표에 도달하는 데 큰 토대가 될 것입니다. 이렇듯 자신이 정한 방향을 향해 단계별 목표를 실천해 나간다면 원하는 결과를 분명히 얻을 수 있을 것입니다.

3. 나만의 합격 전략을 수립하라

공인중개사 학습을 본격적으로 시작하기 전, 나에게 맞는 학습방법을 선택하는 일 도 매우 중요합니다. 자신의 상황과 성향에 맞춰 혼자 독학으로 공부를 할지, 인터 넷 강의나 학원과 같은 오프라인 강의를 들을지 등을 선택해야 합니다. 어떤 선택 을 하느냐에 따라 공인중개사 시험을 준비하는 1년이 달라질 수 있습니다.

② 나에게 맞는 학습방법 선택하기

1. 독학

교재를 통해 혼자 공부하는 독학 타입의 가장 큰 장점은 비용의 절약에 있습니다. 물론 독학이 쉬운 길은 아니지만, 시험의 출제경향과 학습의 패턴을 반영한 베스트셀러 에듀윌 교재와 함께라면 독학도 어렵지 않습니다.

2. 온라인/인터넷 강의

독학과 마찬가지로, 시간과 장소로부터 자유롭습니다. 인터넷 강의는 본인이 원하는 편안한 공간에서 학원 강의와 동일한 강의를 상대적으로 저렴하게 들을 수 있습니다. 또한 강의를 몇 번이고 들을 수 있어 언제든 복습이 가능하고, 온라인으로 질문과 답변을 주고받을 수 있으며, 다양한 콘텐츠와 부가적으로 제공되는 자료를 이용할 수 있다는 장점을 가지고 있습니다.

3. 오프라인/학원 강의

학원에서는 다양한 학생들로부터 얻은 데이터로, 합격을 위한 가장 빠르고 효율적인 학습방법을 제공합니다. 따라서 자신의 의지가 조금 부족해도 학원에서 제공하는 일정대로만 소화한다면 체계적인 학습이 가능합니다. 궁금한 사항이 있을 시 온라인으로 질문하고 답변을 기다릴 필요 없이 즉각적인 피드백이 가능하며, 학원 강의 이후 온라인으로 제공되는 강의를 이용할 수도 있습니다. 또한 다른 수험생들로부터 자극을 받을 수 있을 뿐만 아니라 합격 이후를 위한 인맥을 형성할 수도 있습니다.

출제범위와 학습전략

1 제1차 시험

과목(문제 수)	출제범위	특징 및 학습전략
부동산학개론 (총 40문제)	1. 부동산학개론 　1) 부동산학 총론 　2) 부동산학 각론 　　*각론에서만 80% 가까이 출제!* 2. 감정평가론	• 나머지 과목들과 달리 사회과학을 다루고 있음 • 특히 시험에 나오는 용어(표현)를 정확히 이해하는 것이 중요함 • 부동산학 각론은 출제비중이 매우 높고, 전 범위 고르게 출제되므로 체계를 선(先)이해하는 것이 중요함
민법 및 민사특별법 (총 40문제)	1. 민법 　1) 총칙 　2) 물권법 　3) 계약법 　　*약 85% 출제!!!* 2. 민사특별법	• 모든 법 관련 과목의 기초가 됨 • 시험의 75%(약 34문제) 이상은 판례문제이므로 이에 집중 투자해야 함　*판례학습은 필수!* • 특히 사례를 다각도로 묻는 문제에서 당락이 결정되므로 이를 충분히 익히고 연습해야 함

과목(문제 수)	출제범위	특징 및 학습전략
공인중개사법령 및 중개실무 (총 40문제)	1. 공인중개사법령 _여기서 약 70% 출제!_ 2. 중개실무	• 2차 과목 중 고득점의 가능성이 가장 높은 과목이므로 70점 이상을 목표로 2차 과목 전체 평균을 높이는 데 활용할 수 있어야 함 • 약 12문제 정도 출제되는 중개실무보다는 28문제 정도 출제되는 공인중개사법령에 보다 치중하여 학습하는 것이 유리함
부동산공법 (총 40문제)	_모두 합쳐서 약 60%!_ 1. 국토의 계획 및 이용에 관한 법률 2. 도시개발법 3. 도시 및 주거환경정비법 4. 건축법 5. 주택법 6. 농지법	• 2차 과목 중 시험 범위가 가장 넓고 분량이 많아 고득점이 매우 어려움 • 「국토의 계획 및 이용에 관한 법률」의 출제비중이 30%(약 12문제)로 비교적 높고, 각각 출제비중이 15%인 「도시개발법」, 「도시 및 주거환경정비법」과의 관련성도 매우 높으므로 우선 학습하는 것이 유리함
부동산공시법/ 부동산세법 (총 40문제)	1. 공시법 1) 공간정보의 구축 및 관리 등에 관한 법률 2) 부동산등기법 2. 세법 1) 조세총론 2) 지방세 3) 국세	• 공시법과 세법, 2과목이 하나로 묶여 출제됨 • 보통 공시법은 약 24문제, 세법은 약 16문제 출제됨 _공시법에서 약 60% 출제, 세법에서 약 40% 출제_ • 세법은 납세자의 입장이 아닌, 과세관청의 입장에서 이해하고 판단해야 함

만화로 쉽게 이해하는 공인중개사 - 에듀윌 공인툰 1권

발 행 일	2021년 10월 18일 초판 | 2023년 3월 3일 2쇄
편 저 자	이동춘, 이종선
스토리구성	정선희
삽 화	김우현
펴 낸 이	김재환
펴 낸 곳	(주)에듀윌
출 판 총 괄	김형석
개 발 책 임	윤대권
개 발	양시현
등 록 번 호	제25100-2002-000052호
주 소	08378 서울특별시 구로구 디지털로34길 55
	코오롱싸이언스밸리 2차 3층

www.eduwill.net

대표전화 1600-6700

에듀윌 직영학원에서
합격을 수강하세요

서울	강남	02)6338-0600	강남역 1번 출구	경기	성남	031)602-0300	모란역 2번 출구
서울	노량진	02)815-0600	대방역 2번 출구	경기	평촌	031)346-0600	범계역 3번 출구
서울	노원	02)3391-5600	노원역 9번 출구	경기	일산	031)817-0600	마두역 1번 출구
서울	종로	02)6367-0600	동묘앞역 7번 출구	경기	안산	031)505-0200	한대앞역 2번 출구
서울	천호	02)6314-0600	천호역 6번 출구	경기	김포LIVE	031)991-0600	사우역(골드라인) 3번 출구
서울	신림	02)6269-0600	신림역 7번 출구	대	전	042)331-0700	서대전네거리역 4번 출구
서울	홍대	02)6749-0600	홍대입구역 4번 출구	광	주	062)453-0600	상무역 5번 출구
서울	발산	02)6091-0600	발산역 4번 출구	대	구	053)216-0600	반월당역 12번 출구
인천	부평	032)523-0500	부평역 지하상가 31번 출구	부산	서면	051)923-0600	전포역 7번 출구
경기	부천	032)326-0100	신중동역 6번 출구	부산	해운대	051)925-0600	장산역 4번 출구
경기	수원	031)813-0600	수원역 지하상가 13번 출구				

에듀윌의 상징 노란색의 환한 학원 입구

언제나 전문 학습 매니저와 상담이 가능한 안내데스크

고품질 영상 및 음향 장비를 갖춘 최고의 강의실

재충전을 위한 카페 분위기의 아늑한 휴게실

넉넉한 수납 공간의 개인사물함

합격하고 꼭 해야 할 것 1

에듀윌 공인중개사
동문회 가입

에듀윌 공인중개사 동문회와 함께 9가지 특권을 만나보세요!

1. 에듀윌 공인중개사 합격자 모임

us.eduwill.net

전국구 동문
인맥 네트워크!

2. 동문회 사이트

3. 정기 모임과 선후배 멘토링

믿고 의지할 수 있는
동문들을 한 손에!

4. 동문회 인맥북

5. 동문회와 함께하는 사회공헌활동

6. 개업 시 동문 중개업소 홍보물 지원

7. 동문회 주최 실무 특강

8. 동문회 소식지 무료 구독

9. 최대 공인중개사 동문회 커뮤니티

※ 본 특권은 회원별로 상이하며, 예고 없이 변경될 수 있습니다.

에듀윌 공인중개사 동문회 | us.eduwill.net
문의 | 1600-6700

공인중개사
동문회

에듀윌 부동산 아카데미 강의 듣기

성공 창업의 필수 코스 | 부동산 창업 CEO 과정

튼튼 창업 기초	중개업 필수 실무	실전 LEVEL-UP	부동산 투자
• 창업 입지 컨설팅 • 중개사무 문서작성 • 성공 개업 실무TIP	• 온라인 마케팅 • 세금 실무 • 토지/상가 실무 • 재개발/재건축	• 계약서작성 실습 • 중개영업 실무 • 사고방지 민법실무 • 빌딩 중개 실무	• 시장 분석 • 투자 정책

부동산으로 성공하는 | 컨설팅 전문가 3대 특별 과정

마케팅 마스터	디벨로퍼 마스터	빅데이터 마스터
• 데이터 분석 • 블로그 마케팅 • 유튜브 마케팅 • 실습 샘플 파일 제공	• 부동산 개발 사업 • 유형별 절차와 특징 • 토지 확보 및 환경 분석 • 사업성 검토	• QGIS 프로그램 이해 • 공공데이터 분석 및 활용 • 컨설팅 리포트 작성 • 토지 상권 분석

경매의 神과 함께 | '중개'에서 '경매'로 수수료 업그레이드

• 공인중개사를 위한 경매 실무
• 투자 및 중개업 분야 확장
• 고수들만 아는 돈 되는 특수 물권
• 이론(기본) - 이론(심화) - 임장 3단계 과정
• 경매 정보 사이트 무료 이용

실전 경매의 神 안성선, 장석태, 이주왕

에듀윌 부동산 아카데미 | uland.eduwill.net
문의 | 온라인 강의 1600-6700, 학원 강의 02)6736-0600

에듀윌 부동산 아카데미
강남캠퍼스